나의 사랑스러운 방울새 잔, 샤를, 폴-아길라스에게
- 에마뉘엘 케시르-르프티

우리 집 발코니에서 태어난 아기 비둘기들에게
- 레아 모프티

Oiseaux à reconnaître
Emmanuelle Kecir-Lepetit, Léa Maupetit

Copyright © Gallimard Jeunesse, 2022
All right reserved.

Korean Translation copyright © 2025 by JINOPRESS This Korean edition is published by arrangement with Sibylle Books Literary Agency.

이 책의 한국어판 저작권은 Sibylle Books Literary Agency를 통한 Gallimard Jeunesse 사와의 독점 계약으로 '지노출판'이 소유합니다. 저작권법에 의하여 한국 내에서 보호를 받는 저작물이므로 무단 전재와 복제를 금합니다.

새의 이름

**글쓴이 에마뉘엘 케시르-르프티** Emmanuelle Kecir-Lepetit
프랑스 파리에서 태어났으며, 소르본 대학교에서 문학을 공부했습니다. 현재는 프랑스의 여러 출판사들과 다양한 책들을 펴내고 있습니다. 분야와 시대를 뛰어넘는 재미있고 유익한 교양서를 만들고 싶은 소망이 있습니다.

**그린이 레아 모프티** Léa Maupetit
파리에 살고 있는 젊은 일러스트레이터입니다. 레아는 2015년에 ECV Paris를 졸업하고 마티스의 색채와 선을 닮은 밝고 선명한 컬러 작업들을 기반으로 삶과 유머가 가득 찬 그녀만의 스타일을 창조하고 있습니다.

**옮긴이 권지현**
한국외국어대학교 통역번역대학원 한불과를 나온 뒤 파리 통역번역대학원(ESIT) 번역부 특별과정과 동 대학원 박사과정을 졸업하고, 현재 이화여자대학교 통역번역대학원에서 강의를 하고 있습니다.

## 새의 이름

**초판 1쇄** 2025년 11월 28일
**글쓴이** 에마뉘엘 케시르-르프티 | **그린이** 레아 모프티 | **옮긴이** 권지현
**편집기획** 북지육림 | **본문디자인** 히웅, 로운 | **제작** 명지북프린팅
**펴낸곳** 지노 | **펴낸이** 도진호, 조소진 | **출판신고** 2018년 4월 4일
**주소** 경기도 고양시 일산서구 강선로 49, 916호
**전화** 070-4156-7770 | **팩스** 031-629-6577 | **이메일** jinopress@gmail.com

ⓒ 지노출판, 2025
ISBN 979-11-93878-29-3 (03490)

- 이 책의 내용을 쓰고자 할 때는 저작권자와 출판사의 서면 허락을 받아야 합니다.
- 잘못된 책은 구입한 곳에서 바꾸어드립니다.
- 책값은 뒤표지에 있습니다.

---

**일러두기**
새의 울음소리는 프랑스어로는 주로 동사로, 우리말로는 의성어로 표현합니다. 언어가 다른 만큼 소리를 듣는 느낌도 달라, 한국어판에서는 가능한 한 우리말 의성어로 옮겼습니다.

에마뉘엘 케시르-르프티 글
레아 모프티 그림
권지현 옮김

# OISEAUX
### à reconnaître

Emmanuelle
Kecir-Lepetit

Léa
Maupetit

새의 이름

내 마음에 깃든 37마리 새를 읽는 시간

차례

# 정원의 새

꼬까울새 • 12
푸른박새 • 14
집참새 • 16
대륙검은지빠귀 • 18
까치 • 20
염주비둘기 • 22
검은머리휘파람새 • 24
송장까마귀 • 26
청딱따구리 • 28
바위비둘기 • 30

# 숲의 새

오색방울새 • 34
나이팅게일 • 36
푸른머리되새 • 38
파이어크레스트 • 40
어치 • 42
황갈색올빼미 • 44
동고비 • 46
뻐꾸기 • 48
검은머리방울새 • 50

# 들판의 새

흰점찌르레기 • 54
종다리 • 56
후투티 • 58
제비 • 60
황조롱이 • 62
멋쟁이 • 64
칡부엉이 • 66
새매 • 68
노래지빠귀 • 70

# 물가의 새

왜가리 • 74
노랑할미새 • 76
물총새 • 78
붉은부리갈매기 • 80
청둥오리 • 82
장다리물떼새 • 84
검은머리물떼새 • 86
세가락도요 • 88
흑고니 • 90

새 • 6
옮긴이의 글 • 92

# 새

깃털, 부리, 두 날개는 모든 새가 가진 특징이에요. 새는 대부분 날 수 있지만, 땅에 내려오면 인간처럼 두 발로 똑바로 서서 걷지요.

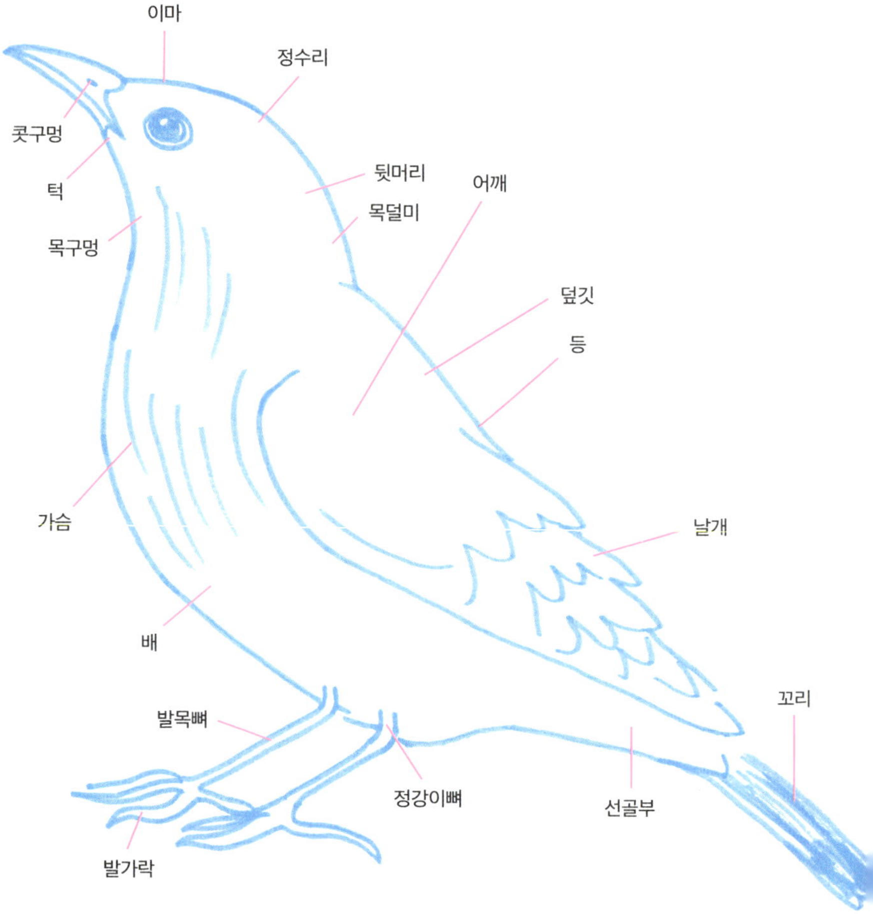

## 놀라운 동물

새의 뼈는 속이 비었고, 심장은 아주 빨리 뛰어요. 체온은 평균 41도나 되지요. 새는 우리보다 더 빠르고 정확하게 보고, 우리보다 더 많은 소리를 들어요. 수플레 요리처럼 부푸는 작은 공기주머니가 온몸에 퍼져 있는데 이 주머니가 공기를 빨아들여 근육에 산소를 공급해요. 그래서 일부러 숨을 들이마실 필요가 없어요. 말하자면 새는 감각이 엄청나게 발달한 육상선수와 비슷해요.

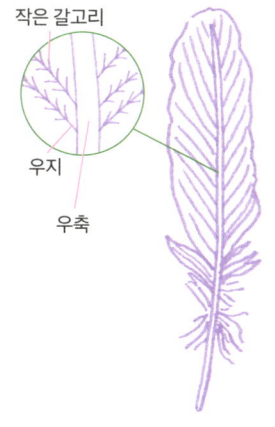

## 깃털 없는 새는 없어요

새의 깃털은 케라틴으로 만들어졌고 색소가 들어 있어요. 깃털은 하나의 축(우축)에 우지들이 돋아 있고 수많은 작은 갈고리로 다른 우지들과 연결되어요. 새는 깃털을 청소하고 갈고리가 벌어지면 그것을 고치느라 많은 시간을 보내요. 해마다 털갈이를 하지요. 털 전체가 떨어지고 새로 나요. 깃털에는 두 종류가 있어요. 날 때 사용하는 날개깃은 날개와 꼬리에 달려 있고, 덮깃은 몸을 보호하는 역할을 해요.

## 날개와 꼬리

날개와 꼬리의 형태를 보면 새가 어떻게 나는지 알 수 있어요.

- 날개가 길수록 새는 오래 날 수 있어요. 제비 같은 철새나 갈매기처럼 활공하는 새의 날개가 길지요.
- 짧고 넓은 날개와 긴 꼬리는 반대로 오래 나는 데 불리해요. 하지만 조종하기 쉽고 속도를 높이기 쉬워요. 새매가 그런 경우예요.
- 호리호리한 날개와 짧은 꼬리는 빠르게 날 수 있게 해줘요. 매가 여기에 해당해요. 꼬리에 난 깃털과 날개에 난 깃털은 이름이 달라요. 날개에 달린 큰 깃은 '큰날개깃'이라고 부르고, 꼬리에 난 깃털은 '꽁지깃'이라 불러요.

## 다리와 부리

다리와 부리의 생김새는 매우 다양해요. 그래서 새를 구별할 때 유용하게 쓰이지요. 부리의 모양과 길이는 새가 무슨 먹이를 먹는지, 어떻게 먹이를 구하는지 알려줘요. 부리로 땅을 파헤치는지 아니면 쪼아대는지, 먹이를 입에 넣고 물을 흘려보내는지 아니면 창처럼 꿰뚫는지, 갈고리처럼 잡는지 아니면 씹지도 않고 꿀꺽 삼키는지 말이에요. 다리(사실 발과 발목뼈)의 모양과 길이는 새의 생활방식을 알려줘요. 땅에서 시간을 많이 보낸다면 다리가 튼튼한 새예요. 다리가 가늘면 곡예사처럼 몸을 잘 움직여요. 다리가 길면 물속을 거니는 데 유리하고, 발톱이 구부러져 있으면 동물을 잘 잡아먹어요.

## 짝을 지어요

많은 동물과 달리 새는 한 계절 혹은 평생 짝을 지어 살아요. 암컷과 수컷이 함께 새끼를 돌봐야 해요. 새끼는 보통 아주 연약해서 돌봐줄 부모가 꼭 필요하거든요. 새는 가사 분담을 정확히 해요. 수컷은 새끼를 낳을 (꽤 넓은) 장소를 찾고 그곳을 보호해야 해요. 그래서 암컷보다 더 화려하고 노래도 많이 불러요. 수컷의 노래와 화려한 깃털이 경쟁자나 침입자를 물리치기 때문이에요.

몸집이 더 작고 깃털도 화려하지 않은(늘 그런 것은 아니에요) 암컷은 대장이에요. 수컷은 암컷을 유혹하고 짝을 지은 뒤 암컷을 보호해야 해요. 먹이도 주어야 하고 때로는 시중도 들어야 해요. 암컷은 수컷보다 한눈을 더 잘 팔아요. 그런데 수컷이 훨씬 지배적인 행동을 하는 오리, 백조, 거위, 닭은 예외예요.

작은 그릇 모양의 지빠귀가 지은 둥지

## 둥지와 알

새는 알을 낳는 난생동물이에요. 알을 낳기 전에 둥지를 짓지요. 둥지의 모양과 재료는 아주 다양해요. 둥지를 짓는 장소도 마찬가지고요. 높은 나무나 수풀 또는 땅속에 짓지요. 둥지는 쉬는 곳이 아니라 새끼를 낳는 곳이에요.

새끼는 두 종류로 구분해요. 태어났을 때 깃털이 없고 앞을 보지 못하는 새가 있어요. 이런 새는 한동안 둥지에서 지내야 해요. 솜털이 온몸에 난 채 태어나고 둥지를 아주 빨리 떠나는 새끼도 있어요. 닭, 오리, 백조 새끼가 그렇지요.

이 차이는 중요해요. 이것이 수컷과 암컷의 관계를 결정하기 때문이에요.

나무에 구멍을 파서 지은 청딱다구리의 둥지

## 새들도 의사소통을 하나요?

깃털과 날개에 이은 또 다른 새의 특징이 바로 소통이에요. 새들은 수다쟁이예요. 하지만 새는 성대가 없어요. 대신 소리를 낼 수 있는 울음관이 있어요. 새는 매우 다양한 소리를 내어 의사를 표현해요(부르기, 경고하기, 불러모으기 등). 노래하는 새도 있지요. 주로 수컷이 노래를 불러요. 새의 노래를 연구하기 시작한 건 아주 최근이지만 과학자들은 지역에 따라 사투리를 쓰는 새도 있다는 사실을 알아냈어요. 말하자면 새가 자신들만의 언어를 발전시킨 것이지요.

## 정말 다양해요!

이제 알았죠? 새들의 왕국에서는 다양함이 법이에요. 이 세상에는 1만 종의 새가 있어요. 그중 약 600종이 1년 중 몇 달 동안 프랑스에 살지요(한반도도 비슷해요. 약 500~600종의 새가 살고 있답니다. ― 옮긴이). 새들의 생활방식, 서식지, 이동, 다리와 날개, 부리의 모양은 종마다 다 달라요.

과학자들은 새를 구분해보려고 노력해요. 하지만 그 기준도 자주 바뀌어요. 중요한 것은 다음 두 종류를 구분하는 거예요.

### 참새목에 속하는 새

예: 울새

참새목은 지구에 사는 새의 절반 이상을 차지해요. 우리의 정원, 숲, 들판에서 흔히 볼 수 있는 작은 새들뿐 아니라 까마귀, 까치, 어치 등 까마귀과 새들도 참새목에 속해요.

### 참새목에 속하지 않는 새

예: 비둘기

나머지 새들은 범위가 매우 좁은 과에 속해요. 딱다구리과, 비둘기과, 뻐꾸기과, 매과, 후투티과, 물총새과, 오리과 등이 있지요. 또 맹금류와 섭금류 등 새를 분류하는 계통은 많아요. 한마디로 새를 구분하는 건 정말 어려워요!

# 정원의 새

"박새는 무엇을 마실까?
박새의 날갯짓에 빛이 반짝이네."
_작자 미상

*Erithacus rubecula*
에리타쿠스 루베쿨라

# 꼬까울새

아침 일찍 창문 나무틀에 플루트 부는 듯한 노래를 쏟아내는 새가 바로 꼬까울새예요. 창문을 빨리 열어봐요! 주황색 가슴을 당당하게 내밀며 창틀에 앉아 있는 모습이 잘 보이네요. 이 동글동글한 작은 새는 정원을 사냥터로 만드는 데 일등이랍니다. 땅을 샅샅이 뒤지며 여름에는 지렁이와 거미를, 겨울에는 열매와 사람들이 떨군 음식을 찾아내지요. 우리의 꼬까울새는 다른 꼬까울새 한 마리가 다가오자 퍼드득! 날아가버리네요. 그러더니 가슴을 더 많이 내밀며 높은 곳에 내려앉아요. 하지만 침입자는 도망가는 게 좋을걸요!

과
솔딱새과

키 / 몸무게
14cm / 18g

울음소리
재잘거리며 울어요

치켜세운 꼬리, 낮게 내린 날개, 목을 더 잘 보여주려고 높이 치켜든 머리…… 꼬까울새는 가슴을 당당히 내밀기를 좋아해요. 특히 겨울에 자신의 영역을 지키려고 이런 자세를 취할 때가 많아요. 그래야 굶어 죽지 않으니까요.

### 못 말리는 싸움꾼

수컷이든 암컷이든 꼬까울새는 자신의 영역에 다른 꼬까울새가 들어오는 걸 참지 못해요. 주황색 가슴과 듣기 좋은 재잘거림은 사실 경고의 표시예요. 침입자가 빨리 나가지 않으면 달려들어서 죽기 살기로 싸울 거예요.

### 유일한 친구는 사람이에요

고독을 즐기는 꼬까울새는 다른 새들을 싫어해요. 하지만 우리가 정원을 가꿀 때면 가까이 날아와서 벗이 되어줘요. 참을성 있게 기다려봐요. 꼬까울새는 겁이 없어서 언젠가 손에 날아와 앉을 거예요.

*Cyanistes caeruleus*
키아니스테스 카이룰레우스

# 푸른박새

나무의 잔가지들 사이로 번개처럼 지나가는 새가 있어요. 파랗고 샛노란 이 새는 나뭇가지에서 균형을 잡다가 금방 다른 곳으로 날아가요. 우리가 관찰할 수 있도록 언제 잠깐 쉴까요? 재빠르고 지나치게 활동적인 푸른박새는 정원의 곡예사예요. 땅에 내려가는 법이 잘 없지요. 머리를 아래로 내리고 다리는 허공에 들어 올려 중력을 거스르는 자세를 취할 때가 많아요. 겨울에 푸른박새의 상큼한 울음소리를 듣는 건 즐거워요. 나무발바리, 굴뚝새 친구들과 함께 경쾌한 원무를 추기도 해요. 그러다가 봄이 오면 사라져요. 숲에 포근한 집을 만들러 갔거든요.

과
**박새과**

키 / 몸무게
**12cm / 11g**

울음소리
**휘파람을 불어요**

푸른박새(*Cyanistes caeruleus*)와 비슷한 노랑배박새(*Parus major*)와 혼동하면 안 돼요. 노랑배박새도 정원에서 자주 볼 수 있어요. 몸집이 더 크고 머리가 새까매서 구분할 수 있어요.

### 좀도둑

송충이와 진딧물을 좋아하는 박새는 겨울에는 씨앗이나 나무의 새싹을 먹고 살아요. 피해를 줄이려면 나뭇가지에 기름 덩어리를 매달면 돼요. 박새가 날아와 거꾸로 매달려 기름 덩어리를 쪼아 먹을 거예요.

### 집순이

푸른박새는 집을 좋아해요. 몸에 있는 벌레를 없애려고 개미 목욕을 자주 해요. 개미가 기어 올라오게 해서 포름산을 분비하게 해 몸에 묻히는 것이지요. 둥지를 만들 때 라벤더나 박하 등 살균과 살충 효과가 있는 허브를 넣어놔요.

*Passer domesticus*
파세르 도메스티쿠스

# 집참새

수도승의 옷을 걸친 집참새는 도시를 남모르게
돌아다녀요. 전철역 안으로 들어가기도 하고
날갯짓 한 번으로 편의점 자동문을 열기도 하지요.
어찌 보면 뻔뻔하고 기력이 넘치는 갈색의 이 작은 새는
너무 흔해서 사람들의 눈길을 끌지 못할 정도예요.
하지만 집참새는 장점이 아주 많아요. 사회성이 좋고,
태어난 고향을 잊지 못해요. 연인에게도 충실하지요.
잘 날아다니고 저녁이 되면 부드러운 지저귐으로
우리를 즐겁게 해요. 요즘 도시에서 많이 사라진
집참새를 우리가 더 많이 돌봐줘야 해요.

과
**참새과**
키 / 몸무게
**16cm / 30g**
울음소리
**짹짹거려요**

### 참새의 지저귐
참새는 노래하지 않고 짹짹거려요.
저녁에 나무 밑에서 참새 소리를 들어봐요.
참새는 잠들기 전에 친구들과 수다를
떨어요. 여러 참새의 짹짹 소리가 웅장한
합창처럼 들려요.

### 감상적인 참새
참새는 태어난 곳에 머물러요. 아마 집에
머물기를 가장 좋아하는 새일 거예요.
참새는 무리를 지어 살거나 짝과 함께
살아요. 수컷은 암컷이 어디를 가든
따라다녀요.

기울어진 부리와 벌어진 날개를
가진 어린 수컷이 암컷 앞에서
정중하게 인사를 하네요. 노래를
할 줄 모르는 수컷이 암컷을
유혹하려면 공중에서 현란한
춤을 추어야 해요

밝은 회색 정수리는
수도승의 민머리 같아요.

원뿔 모양의 부리를 보면
곡식을 쪼아 먹는다는 걸
알 수 있어요. 빵 부스러기보다
쌀알을 훨씬 좋아하지요.

보호색을 띤 깃털을 멀리서
보면 수도승이 입는 갈색 옷 같아요.
반대로 가까이서 보면 담황색에서
짙은 갈색까지 색이 다양해요.

짝짓기 계절에는 수컷의
턱 밑이 까매져요. 암컷에게
잘 보이려고 넥타이를
맨 것 같아요.

땅에서는 총총 뛰어다녀요.
그때마다 연신 꼬리를 흔들지요.
집참새는 조급한 성격인가 봐요.

*Turdus merula* ─────────────
투르두스 메룰라

# 대륙검은지빠귀

참새과 새들의 평균 몸집보다 큰 대륙검은지빠귀(유라시아대륙검은지빠귀, *Turdus merula*)는 정원을 자기 땅으로 여겨요. 잔디 한가운데 앉아 일광욕을 즐기기도 하고, 흙이 사방에 튈 정도로 화단을 파헤치기도 해요. 또 쓸어놓은 낙엽 더미를 흩어놓거나 벚나무에 열린 버찌를 모조리 쓸어가기도 해요. 화가 치밀어 오른다고요? 그래도 소용없어요. 대륙검은지빠귀는 높은 나무에 올라가 사람들을 조롱할 거예요. 하지만 봄이 오면 지빠귀를 용서할 수 있을 거예요. 고독한 영혼을 가진 지빠귀는 세상에서 가장 아름답고 순수한 노래를 부르니까요. 대륙검은지빠귀는 멋진 가수예요!

**과**
지빠귀과

**키 / 몸무게**
27cm / 100g

**울음소리**
호루라기 소리를 내며 울어요

### 휘파람을 부는 조롱꾼

대륙검은지빠귀가 입을 열기 시작하면 조롱하듯 킥킥대는 소리가 들려요. 하지만 지빠귀가 부르는 휘파람은 황홀해요. 플루트 소리가 나는 노래는 멜로디가 있는 긴 문장 같아요. 지빠귀는 즉흥적으로 연주해요. 자신만의 레퍼토리를 만들어내는 진정한 재즈 연주자 같아요.

### 앞마당의 무법자

앞마당에 날아든 지빠귀를 모를 순 없어요. 수풀 사이를 낮게 날기도 하고 땅 위를 두 발로 깡충깡충 걸어 다니면서 흙 속에 숨은 벌레들을 모조리 낚아채니까요.

지렁이를 발견한 지빠귀는 부리로 지렁이를 잡은 다음 몸을 활처럼 구부려 흙에서 꺼내요. 지렁이는 끌려가지 않으려고 죽을힘을 다해 버티지요. 앞마당에서 이 흥미진진한 결투를 자주 볼 수 있어요.

*Pica pica*
피카 피카

# 까치

까치(유라시아까치, *Pica pica*)는 느리게 물결 모양을 그리며 날아 풀밭에 내려앉아요. 그러고는 무대 위를 걷는 모델처럼 어깨를 흔들며 걸어요. 사냥이 시작된 거예요. 겁이 없고 영리하며 항상 주위를 경계하다가 순식간에 날 수 있는 까치는 예쁜 드레스를 입은 사냥꾼이에요. 지렁이, 도마뱀, 민달팽이는 까치의 매서운 눈을 피할 수 없어 먹이가 되어요. 다른 새들도 자기 새끼를 건드릴까 봐 까치를 두려워해요. 까치는 아랑곳하지 않고 뽐내며 걸어요. 게다가 깍깍거리기까지 해요. 온종일 쉰 목소리로 울어대서 귀가 따가워요. 무슨 할 말이 저렇게 많을까요?

과
까마귓과

키 / 몸무게
50cm / 200g

울음소리
깍깍거려요

나무 높은 곳에 찌그러진 공처럼 지은 까치집은 알아보기 쉬워요. 바닥은 그릇처럼 패여 있고 잔가지로 지붕까지 덮여 있어서 진짜 집 같아요.

### 도둑 까치

까치는 신중해서 자기 집에 먹이를 저장해요. 부리로 물건을 실어 나르는 모습을 자주 볼 수 있지요. 까치가 물건을 훔쳐 가는 걸까요? 맞아요. 훔친 물건은 보석이 아니에요. 기껏해야 강아지나 고양이의 먹이를 가져가는 것이지요.

### 사랑이라면 사족을 못 써요

까치는 혼자 지내는 법이 없어요. 짝을 짓기 전까지는 가족과 함께 지내요. 짝을 찾으면 그 짝과 평생 헤어지지 않아요. 수컷과 암컷은 서로 죽고 못 살아요. 모든 걸 함께하지요. 풀 한 포기라도 둘 사이를 갈라놓으면 둘은 서로 말하기 바빠요.

*Streptopelia decaocto*
스트렙토펠리아 데카옥토

# 염주비둘기

시골 마을에서는 아침에 염주비둘기 소리를 듣고 깨는 일이 흔해요. 단조로운 울음소리가 자장가처럼 들리지요. 창문을 열면 누가 우는지 보여요. 밝은 베이지색의 작은 비둘기 두 마리가 사랑스럽게 서로에게 기대어 있네요. 너무 귀엽지요? 하지만 조심해요. 최면을 거는 듯한 구구구구 소리는 주변에 있는 모든 새를 잠들게 하니까요. 염주비둘기는 교활해요. 닭장에 앉아 암탉들과 친구가 되나 싶더니 이내 먹이를 빼앗아 먹네요. 염주비둘기가 이곳의 여왕이 될 순간이 머지않았어요.

과
**비둘기과**

키 / 몸무게
**32cm / 175g**

울음소리
**구구구 울어요**

염주비둘기가 가장 좋아하는 활동은 가볍게 입을 맞추는 거예요. 서로 이를 잡아주고 애정을 표현하기 위해서 부리를 톡톡 부딪쳐요. 하지만 그런 순애보는 계절이 바뀌면 끝나버려요.

### 염주비둘기는 어디서 왔나요?

염주비둘기는 인도에서 왔어요. 튼튼한 날개를 가져서 원래 철새였던 염주비둘기는 반세기 만에 유럽의 도시를 점령했어요. 첫 염주비둘기가 유럽에 나타난 건 1952년이에요. 지금은 비둘기 천지예요.

### 번식력이 강해요

온난한 기후에서 살면 1년 내내 새끼를 낳을 수 있어요. 한 번에 알을 2개씩만 낳을 수 있어요. 그런데 다음 알을 낳을 때까지 시간이 아주 오래 걸려요. 태어난 새끼가 집을 떠나야만 다시 알을 낳으니까요.

*Sylvia atricapilla*
실비아 아트리카필라

# 검은머리휘파람새

수풀 속에 숨을 때가 많은 얌전한 검은머리휘파람새는 유럽의 정원에서 흔히 볼 수 있어요. 머리에 작고 검은 모자를 쓰고 있는 모습이라서 쉽게 알아볼 수 있지요. 봄에는 파닥파닥 날아다니며 곤충을 잡아먹고 여름, 가을, 겨울에는 열매를 먹어요. 혼자 다니기를 좋아해서 친구를 사귀지 않아요. 친구와 마주치면 인사를 나누는 정도지요. 이때 돌멩이 2개를 부딪치는 '딱' 소리를 내요. 겨울이 끝날 무렵 수컷은 노래하고, 암컷은 플루트 소리로 덤불을 채워요. 그래서 '3월의 종달새'라고 부르지요.

과
휜떡딱새과

키 / 몸무게
14cm / 17g

울음소리
예쁘게 휘파람을 불어요

다른 새와 싸움이 붙으면 머리의 검은 깃털을 곤추세워 더 잘 보이게 하고 '딱딱딱' 소리를 연속으로 내요. 수컷과 암컷 모두 자기 영역을 열심히 지켜요.

### 철새인 듯 철새 아닌

검은머리휘파람새는 프랑스 남부(또는 브르타뉴)에서 1년 내내 지내요. 가을에는 무화과, 사과, 포도를 따먹고, 겨울에는 겨우살이와 아이비의 열매를 먹고 살아요. 프랑스 북부와 동부는 겨울에 너무 추워서 이곳에 사는 검은머리휘파람새는 9월이 되면 아프리카로 날아가요.

### 대가족

쇠흰턱딱새, 흰목휘파람새, 흰목솔새 등 휘파람새는 종류가 참 많아요. 그중에서도 보린휘파람새는 검은머리휘파람새와 함께 가장 잘 알려져 있어요. 깃털은 낙엽 색깔이고 머리에 까만 모자를 쓰지는 않았어요.

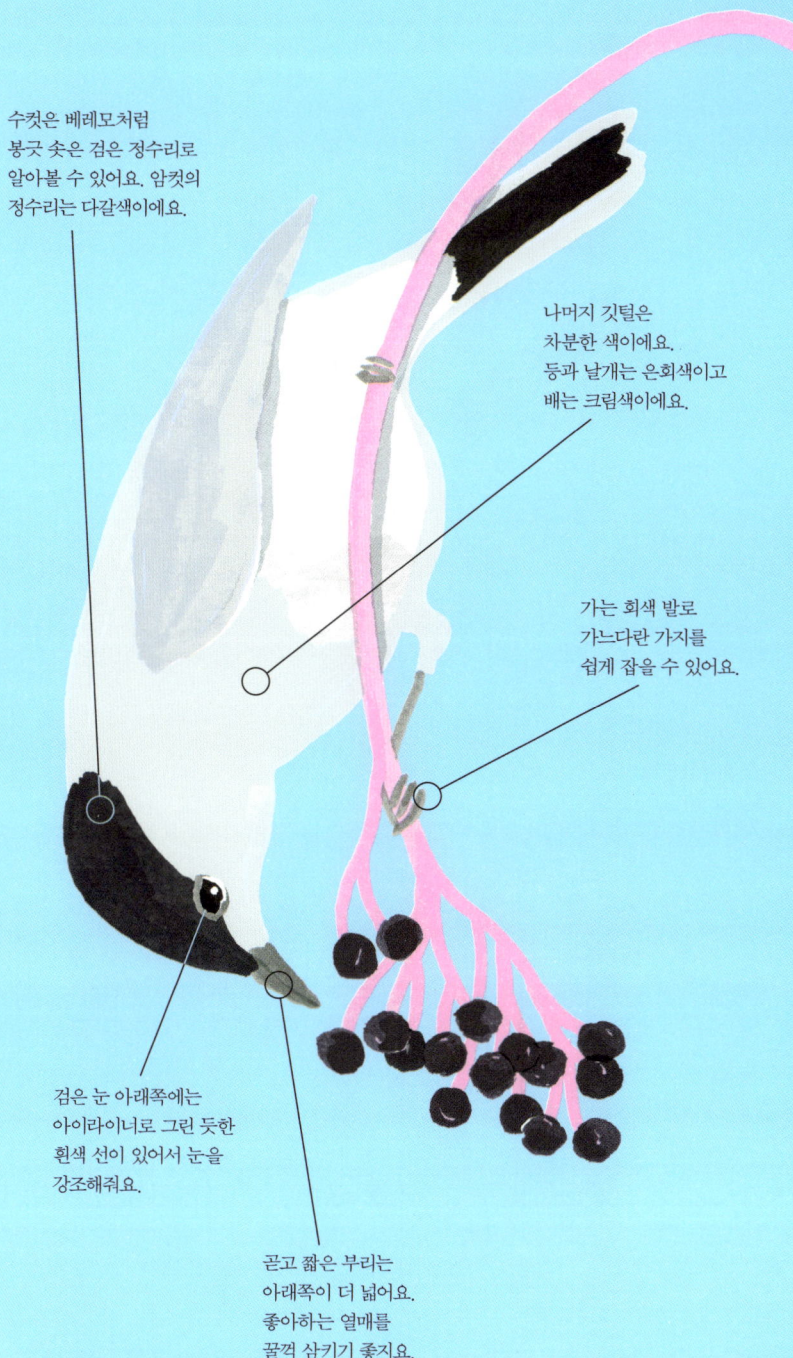

*Corvus corone*
코르부스 코로네

# 송장까마귀

숲을 제외하고 시골, 산, 바닷가, 도시에서 볼 수 있는 송장까마귀는 자신의 영역을 잘 감시하려고 탁 트인 곳에서 동그라미를 그리며 나는 걸 좋아해요. 짝지어 다니거나 무리를 지어 다니지요. 보초병처럼 주위를 경계해요. 침입자가 나타나면 "까악!" 하고 소리를 질러요. 먹잇감이 나타나면 재빨리 공격해요. 똑똑하고 꾀가 많은 송장까마귀는 쥐를 사냥하고, 다른 새들의 집을 털어요. 또 호두를 까먹고 싶으면 자동차 바퀴 밑에 슬며시 내려놓지요. 음식물 쓰레기봉투를 쪼아대기도 해요. 사람들은 까마귀를 별로 좋아하지 않는데, 까마귀도 마찬가지예요. 까마귀에게 가까이 다가가기란 쉽지 않아요. 인간을 엄청 무서워해요.

과
**까마귀과**

키 / 몸무게
**53cm / 525g**

울음소리
**까악까악 울어요**

큰까마귀
떼까마귀
송장까마귀

송장까마귀(*Corvus corone*)를 다른 까마귀들과 착각하지 말아요. 큰까마귀(*Corvus corax*)는 몸집이 크고 깃털이 헝클어져 있어요. 까마귀 중 가장 크지요. 떼까마귀(*Corvus frugilegus*)는 부리가 흰색이고 아주 두꺼워요. 이마도 튀어나와 있지요.

### 놀이를 좋아해요

겨울이 되면 눈 쌓인 지붕에서 긴 다리로 스키를 타요. 공원에서 나뭇가지에 나란히 거꾸로 매달려 있는 까마귀들을 볼 수 있어요. 가장 오래 버티는 까마귀가 이겨요.

### 인생은 아름다워

까마귀 부부는 어린 새들과 함께 지내요. 어린 새들은 부부의 하인들이에요. 하인 까마귀는 새집을 짓거나 새끼에게 먹이를 줄 때 도와줘요. 때로는 부인의 애인이 되기도 하지요.

송장까마귀는 부리 끝부터
꼬리 끝까지, 다리며 눈이며
할 것 없이 온몸이 새까매요.

송장까마귀는 머리가 좋아요.
그래서 과학자들이 송장까마귀를
새들의 '아인슈타인'이라고 부르지요.

길고 강한 부리는
깃털로 덮여 있어요.
그래서 부리 바로 위에
있는 콧구멍을 가려요.

여름에는 깃털이
반짝여요. 햇빛을
받으면 푸른 빛을
띠어요.

불룩한 날개에는 아주 길고
넓적한 날개깃이 있어요.
송장까마귀는 힘차게 날아요.

*Picus viridis*
피쿠스 비리디스

# 청딱따구리

우리는 청딱따구리(유라시아청딱따구리, *Picus viridis*)가 숲에 사는 줄 알고 공원에서는 마주칠 기대를 하지 않아요. 그런데 울음소리가 들리면 '정말 있구나' 하고 알게 되지요. 그 울음소리가 들리면 비가 온다고 믿는 사람들도 있어요. 청딱따구리는 평범한 딱따구리가 아니에요. 오색딱따구리(*Dendrocopos major*)나 회색머리딱따구리로도 불리는 청딱따구리(*Picus canus*)와 달리 벌레를 잡으려고 나무를 쪼지 않아요. 잔디밭 사이를 다니며 개미를 잡아먹지요. 그래서 잔디를 많이 해쳐요. 하지만 조금이라도 위험하다고 느끼면 재빨리 도망가서 나무에 찰싹 붙어 있어요. 눈이 좋은 사람만 청딱따구리를 찾아낼 수 있지요.

과
**딱따구리과**

키 / 몸무게
**33cm / 200g**

울음소리
**뾰뾰뾰뾰 울어요**

청딱따구리는 불규칙한 날갯짓을 해요. 2~3번 날개를 흔들고 날개를 접지요. 날개를 펼쳤을 때 날개 끝에 검은 줄과 흰 줄 장식이 보여요.

### 냠냠! 맛있는 개미

개미는 청딱따구리가 가장 좋아하는 먹이예요. 부리로 개미굴을 파서 개미를 잡지요. 이때 길고 끈적한 혀를 이용해요.

### 딱따구리의 집

청딱따구리는 봄에 버드나무나 사시나무의 부드러운 줄기에 구멍을 파요. 6~7센티미터의 입구를 내지요. 안에는 나무조각을 쌓아서 새끼들이 지낼 수 있는 방을 만들어요.

검은 눈 주위, 목까지
이어진 새빨간 정수리로
다른 딱따구리와
구별할 수 있어요.

붉은 턱수염은
수컷에게 나요.
암컷은 검은 턱수염을
가지고 있어요.

발톱은
3개뿐이에요.
하지만 아주
날카롭지요.

나무에 붙어 있을 때
초록색 외투는 납작한
이끼처럼 보여요.
멋진 위장술이죠?

뿔 모양의 단단한
꽁지깃은 나무에서
균형을 잡게 도와줘요.

*Columba livia*
콜룸바 리비아

# 바위비둘기

높은 곳을 좋아하는 새가 있다면 바로 바위비둘기예요. 옛날 야생에서 살았을 때는 절벽이나 가파른 바위산에 둥지를 틀었어요. 그러다가 도시를 알게 되었지요. 도시에서도 높은 지붕, 발코니, 빗물받이 등 지낼 만한 곳이 많아요. 그곳에는 먹이도 많고 무서운 독수리도 없으니까요. 바위비둘기는 주저 없이 도시에 둥지를 틀었지요. 그런데 그런 바위비둘기가 요즘은 우리를 괴롭혀요. 길거리에 무리를 지어 돌아다니며 똥으로 거리를 더럽히니까요. 하지만 옛날에는 바위비둘기가 편지를 전해주는 우체부 역할을 했다는 걸 잊지 말아요.

과
까마귀과

키/몸무게
34cm / 260g

울음소리
구루루룩 울어요

바위비둘기 새끼는 입이 크고 (얼마나 크게 운다고요!) 헝클어진 금색 털로 덮여 있어서 우스꽝스러워요. 높은 곳에 산다면 새끼들을 볼 수 있어요.

### GPS를 장착한 바람돌이

길거리에서 아장거리는 바위비둘기를 보면 시속 150킬로미터로 날 수 있다는 상상을 하지 못해요. 바위비둘기는 한 번도 쉬지 않고 수백 킬로미터를 날아갈 수 있어요. 어디에 있든 자신의 둥지를 찾아내지요. 부리 안에 들어 있는 자철광이 나침반 역할을 하기 때문이에요.

### 충직한 기사

수컷은 평생 한 암컷에게만 충실해요. 봄에만 암컷을 유혹하지요. 그런 다음에는 목과 날개를 부풀리며 암컷을 쫓아다녀요. 둥지를 만들고 알을 품는 등 온갖 일을 도와줘요. 죽음만이 둘을 갈라놓을 수 있어요.

작고 둥근 머리는 아주 잘 움직여져요. 걸을 때는 시선을 안정시키려고 머리를 앞뒤로 흔들어요. 그러지 않으면 시야가 흐릿해져요.

부리 위에 불룩한 혹('납막'이라고 해요)이 있어요. 여기에 공기를 여과하는 역할을 하는 콧구멍이 나 있어요.

목과 가슴팍의 무지갯빛은 수컷에게서 더 두드러져요.

눈동자는 진한 주황색이에요.

깃털은 주로 파란 빛이 도는 회색이지만 흰색이기도 하고 여러 색이 혼합되어 있기도 해요.

자연은 바위비둘기에게 분홍색의 긴 발가락 4개를 선물했어요. 하지만 길바닥에 뒹구는 그물이나 머리카락에 걸려 발가락을 잃기도 해요.

31

# 숲의 새

"애타는 목소리로 나이팅게일이
엄마 아빠를 찾네."
_고바야시 잇사

*Carduelis carduelis*
카르두엘리스 카르두엘리스

# 오색방울새

보석 같은 이 작은 새는 감탄하며 바라볼 만해요. 3월에서 7월까지 둥지 근처에 있는 나무에 숨어 지내며 모습을 거의 드러내지 않지요. 하지만 8월이 되면 다시 사교적으로 변해요. 그때 숲에서 나와 엉겅퀴나 민들레 위에 살포시 앉아 있는 오색방울새를 만날 수 있어요. 아니면 들판이나 황무지에서 가볍게 춤을 추듯 날아다니는 무리를 볼 수도 있지요. 가장 좋아하는 엉겅퀴의 씨앗 외에도 온갖 잡초의 씨앗을 먹고 살아요. 마당에 잡초를 심어놓으면 오색방울새가 잠깐 들를지도 몰라요.

과
되새과

키 / 몸무게
12cm / 16g

울음소리
치리리 울어요

씨앗만 먹기 때문에 물을 많이 먹어야 해요. 여름에는 못이나 냇물에 몸을 담그기를 좋아해요. 이곳에서 오색방울새를 가장 쉽게 관찰할 수 있을 거예요.

## 만지지 마!

오색방울새는 노래하듯 울어요. 20세기에 사람들이 새장에서 기르려고 많이 잡아서 그 수가 크게 줄었어요. 지금은 유럽에서 오색방울새를 잡는 것이 금지되어 있어요. 농약 때문에 여전히 위협받지만 그래도 지금은 더 많은 보호를 받고 있지요.

## 진정한 플레이보이

수컷은 암컷 주위를 돌며 유혹해요. 날개를 하나씩 펼치면서 꼬리를 흔들고 등을 동그랗게 말아요. 암컷에게 먹이를 바치는 것으로 수컷의 공연은 끝나요.

수컷은 얼굴의 진홍색 부분이
눈 옆까지 덮고 있어요. 암컷은
그렇지 않지요. 이것이 암컷과
수컷의 유일한 차이예요.

길고 뾰족한 원통형
부리로 다치지 않고
엉겅퀴의 씨앗을
빼낼 수 있어요.

깃털은 여러 색이 혼합되어
있어서 조금만 움직여도
다채로운 색이 나타나요.

날개에는 샛노란
깃털이 있어요.
날개를 펼치면
눈이 부셔요.

날씬한 다리 덕분에
어디에나 매달릴 수 있어요.
거꾸로도!

*Luscinia megarhynchos*
루스키니아 메가르힝코스

# 나이팅게일

4월 숲속에 어둠이 내리면 작은 새들은 모두 잠이 들어요. 그런데 조용한 숲속에서 누군가가 혼자 노래를 해요. 바로 나이팅게일이에요. 어디 있는지 찾으려 해도 소용없어요. 밤이 되고 낮이 되고 다시 밤이 되어도 나이팅게일은 쉬지 않고 노래를 불러 암컷을 찾지요. 수컷은 암컷을 차지해도 노래를 그치지 않아요. 둥지를 보호해야 하거든요. 그러다가 6월이 되면 갑자기 조용해져요. 나이팅게일이 사라진 걸까요? 아직 아니에요. 여름 내내 곤충을 사냥하니까요. 9월이 되어 밤이 오면 나이팅게일은 드디어 사하라사막 남쪽으로 떠나요. 다시 4월이 되어 나이팅게일이 돌아오기를!

과
**딱새과**

키 / 몸무게
**17cm / 22g**

울음소리
**쪼로롱 지저귀어요**

꼬리를 치켜든 나이팅게일 (*Luscinia megarhynchos*)은 굴뚝새(*Troglodytes troglodytes*)와 아주 비슷해 보여요. 하지만 굴뚝새는 키 10센티미터에 몸무게 8그램으로 훨씬 작아요.

### 치료의 노래

나이팅게일의 노래는 2~4초 동안 이어지는 120~260개의 시퀀스로 구성되어 있고 수백 년 동안 시인들에게 영감을 주고, 사랑하는 연인들의 마음을 울렸어요. 무엇보다 통증을 완화하고 병을 빨리 낫게 하는 효과가 있다고 알려졌어요.

### 잡목 숲의 주민

나이팅게일은 주로 잡목 숲에 숨어 살아요. 땅과 가까운 곳에 둥지를 만들지요. 꼬리를 치켜세우고 종종걸음을 걸으며 벌레를 잡아먹어요.

까맣고 커다란 눈 주위로
흰 테가 둘러 있어요.
덕분에 어둠 속에서
더 잘 볼 수 있어요.

적갈색 깃털 때문에
덤불 속에 있으면
잘 보이지 않아요.

철새답게
날개가 길어요.

나이팅게일은 나무 중간쯤 앉아서
노래를 불러요. 부리를 하늘로
향하지요. 노래를 부르면
암컷이 내려와요.

사냥꾼답게
다리가 길어요.

*Fringilla coelebs*
프링길라 코일렙스

# 푸른머리되새

울긋불긋한 이 새를 좀 보아요. 참 명랑하지요? 수컷은 3월에서 7월까지 우리에게 즐거운 노래를 선사해요. 자신의 영역을 알리는 노래예요. 수컷을 보려면 나무 위를 올려다봐요. 나무 꼭대기에 있는 둥지를 보호하고 있네요. 땅에 내려와 먹이를 잡아먹으니 자주 볼 수 있어요. 수컷은 머리를 리듬에 맞춰 흔들며 깡충깡충 다녀요. 먹성도 까다롭지 않아 벌레, 파리, 씨앗, 눈, 열매를 가리지 않지요. 사교성이 좋고 환경에 적응도 잘하며 늘 명랑해서 숲에 가장 많이 사는 새가 된 이유를 알 수 있어요.

**과**
되새과

**키 / 몸무게**
15cm / 24g

**울음소리**
경쾌하게 울어요

사촌 되새는 털모자를 쓴 듯한 머리로 구분할 수 있어요. 프랑스에서 10월부터 이듬해 3월까지 볼 수 있지요. 봄이 지나면 다시 북유럽으로 날아가요.

### 독신 생활

푸른머리되새는 1년 내내 무리 지어 살지만 수컷과 암컷이 따로 살아요. 라틴어 학명 중 '코일렙스(*coelebs*)'는 '독신'이라는 뜻이에요. 실제로 수컷과 암컷은 짝짓기 계절이 아니면 서로를 견디지 못해요. 같이 있을 때 많이 싸워요.

### 먼 거리를 이동하는 철새

프랑스에 사는 푸른머리되새(*Fringilla coelebs*)는 철새가 아니에요. 하지만 먼 거리를 이동할 수 있어요. 북유럽의 되새(*Fringilla montifringilla*)는 프랑스의 숲까지 날아와 겨울을 나요.

*Regulus ignicapilla*
레굴루스 이그니카필라

# 파이어크레스트

유럽에서 가장 작은 새인 파이어크레스트는 도깨비불 같아요. 동에 번쩍 서에 번쩍 벌새처럼 날아다니며 부리로 개미를 쪼아 먹고 번개처럼 달아나지요. 아주 작은 소리에도 도가머리를 쭈뼛 세워요. 머리에 불이 난 것처럼 보이지요. 그리고 휘파람 소리를 내며 울며 나뭇잎 사이로 사라져요. 항상 몸을 숨길 준비가 되어 있지요. 월계수, 소나무, 전나무 숲에서 이 새를 만나볼 수 있어요. 겨울에도 잎이 떨어지지 않는 나무를 좋아하는 새이거든요. 그뿐만 아니라 이끼로 덮인 낙엽도 좋아해요. 그러니까 숲을 거닐 때면 눈을 크게 뜨고 보아요.

과
**상모솔새과**

키 / 몸무게
**9cm / 5g**

울음소리
**쇠소리를 내며 울어요**

### 불타는 머리
라틴어 학명 중 '이그니카필라(*ignicapilla*)'의 뜻이 '불타는 머리'예요. 수컷과 암컷 모두 머리에 달린 벼슬로 서로를 알아봐요. 멀리 떨어져 있어도 이 도가머리를 통해 감정을 소통할 수 있어요.

### 보온둥지
암컷은 7~10개 알을 동시에 낳지만 한꺼번에 품을 수 없어요. 그러기에는 몸집이 너무 작거든요. 그래서 공 모양 둥지를 만들어요. 공 안이 포근해서 알을 따뜻하게 보관할 수 있어요.

숲에 사는 새 대부분이 그렇듯이 파이어크레스트도 둥지를 이끼로 덮어 숨겨요. 파이어크레스트의 둥지는 공처럼 생긴 것이 특징이고 꼭대기에 아주 작은 구멍이 있어요.

*Garrulus glandarius*
가룰루스 글란다리우스

# 어치

갈색, 분홍색, 흰색, 옥색 깃털이 어우러진 어치는
까마귀과 새 중 유일하게 검은 옷을 입지 않았어요.
그래서 눈에 잘 띄지 않아요. 탁 트인 공간을
싫어해서 너도밤나무, 소사나무, 참나무가 빽빽한
깊은 숲속에서 살아요. 가을이 되면 나무에서
떨어지는 열매를 겨울 식량으로 모아두지요.
우리가 가까이 가면 갈라지고 쉰 목소리로 울어요.
어치의 경고에 다른 새들과 여우, 다람쥐들도
숨어버리지요. 어치는 숲에서 망을 보는 새랍니다.

과
**까마귀과**

키 / 몸무게
**36cm / 165g**

울음소리
**찌르르 울어요**

어치의 부리 밑에는 모이주머니가
있어요. 모이주머니는 늘어나기
때문에 도토리를 6~7개까지
담을 수 있어요. 도토리를
옮기는 데 아주 편리하겠지요?

### 헨젤과 그레텔
어치는 다람쥐처럼 겨울을 나기 위해
먹이를 땅에 묻어요. 묻은 곳에 작은
돌멩이를 얹어 표시해두지요. 아주
똑똑한 새죠?

### 모두 숨어!
봄이 올 무렵 어치는 울음소리를 내어
영역을 표시해요. 이때 고양이, 말,
말똥가리 등 온갖 동물의 소리를 흉내
내서 이웃 동물들에게 겁을 줘요.

*Strix aluco*
스트릭스 알루코

# 황갈색올빼미

올빼미 중에 가장 사나운 황갈색올빼미는 나무 속 둥지를 잘 떠나지 않아요. 암컷과 수컷이 항상 같은 나무 둥지에서 함께 살지요. 낮에는 움직이지 않고 울지도 않아서 눈에 띄지 않아요. 저녁이 되어야 수컷이 가끔 "우-우-우!" 하고 울어 자기들도 있다고 표시하지요. 잠시 울다가 조용해지고 다시 우는 일이 반복되어요. 그러다가 어둠이 내리자마자 갑자기 날아오르지요. 들쥐, 나비, 박쥐 등 먹잇감을 보자마자 낚아채어요.

과
**올빼미과**

키 / 몸무게
**40㎝ / 500g**

울음소리
**큐익 울거나
후우 후우우 울어요**

황갈색올빼미(*Strix aluco*)는 마을의 종탑에 사는 원숭이올빼미(*Tyto alba*)와 쉽게 구분되어요. 얼굴이 하트 모양인 원숭이올빼미는 가면올빼미로 불리기도 해요.

### 앗, 비 온다!

황갈색올빼미는 청각으로 사냥해요. 인간의 청각보다 10배나 뛰어나지요. 그래서 올빼미는 빗소리에 놀랄 수 있어요. 비가 계속 오면 올빼미는 굶어 죽을 수도 있어요.

### 한밤중의 경고음

황갈색올빼미의 울음소리는 흉내 내기 쉬워요. 18세기 말 프랑스에서는 혁명을 반대하는 사람들이 쉰 목소리로 소리를 질렀는데 그 소리가 비슷해서 '올빼미당'이라는 별명을 얻었지요.

*Sitta europaea*
시타 에우로파이아

# 동고비

숲을 거닐다 보면 가끔 쩌렁쩌렁한 새 울음소리가 들려요. 앗, 동고비다! 이내 머리를 땅으로 향한 채 참나무 줄기를 타고 내려오는 동고비를 볼 수 있지요. 이런 재주를 부리는 새는 동고비가 유일해요. 동고비는 종일 바쁘게 나무줄기를 타고 오르락내리락해요. 긴 부리로 나무껍질을 뒤지며 송충이를 찾아내거나 열매를 줄기에 탕탕 부딪혀 깨려고 하지요. 나무줄기 안에 겨울 식량을 보관하기도 해요. 동고비 일생에 이사란 없거든요. 봐요! 돌로 둥지를 지었군요. 동고비는 이곳에서 평생 살 거예요.

과
**동고비과**

키/몸무게
**14cm / 22g**

울음소리
**피우피우 울어요**

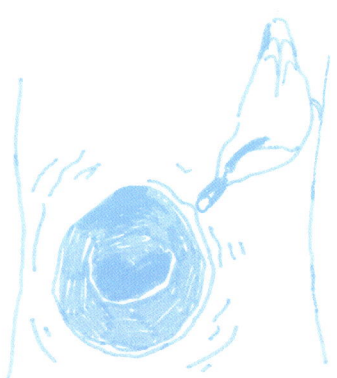

동고비는 나무 구멍에 둥지를 만들고 평생 그곳에서 지내요. 다른 동물들이 차지하지 못하게 하려고 진흙으로 입구를 좁혀놔요.

### 노동자의 영혼
동고비는 나무껍질이 갈라진 곳을 대장장이의 작업대처럼 써요. 도토리, 너도밤나무 열매, 개암 열매를 벌어진 틈에 고정한 뒤 깨서 먹지요.

### 재미있는 정원사
동고비는 나무 구멍에 열매를 넣은 뒤 다른 동물이 훔쳐 가지 못하게 이끼로 덮어 둬요. 그래서 가끔 그 구멍에서 개암나무나 해바라기가 자라는 거예요.

꼬리가
아주 짧아요.

어두운 숲에서 동고비의
몸통은 회색으로 보여요.
하지만 한 가닥 햇빛이
비치면 파란색이 되는
걸 볼 수 있지요.
배는 적갈색이에요.

동고비는 머리를 들고
있어서 거만해 보여요.
해적의 안대처럼 긴
검은 선이 있는 눈은
도도한 자세를 강조해요.

2가지 색의 부리는
뾰족하고 작아요.

4개의 긴 발가락에는
구부러진 발톱이 달려 있어요.
그래서 미끄러운 줄기에도
매달릴 수 있지요.

*Cuculus canorus*
쿠쿨루스 카노루스

# 뻐꾸기

머나먼 숲에서 뻐꾸기 소리가 점점 사라지고 있어요. 뻐꾸기에게 필요한 먹이인 송충이와 메뚜기가 살충제에 죽기 때문이에요. 7월이 되면 아프리카 남쪽으로 먼 여행을 떠나는 철새인 뻐꾸기는 이듬해 봄이 되어야 짝짓기를 위해 다시 유럽으로 돌아가요. 이때 수컷은 우리도 잘 아는 노래를 불러요. "뻐꾹! 뻐꾹!" 키 큰 나무숲에서 뻐꾸기는 뽐을 내며 암컷을 유혹해요. 암컷은 여러 수컷을 만나서 몇 주 만에 최대 25개의 알을 낳아요. 그런데 다른 새의 둥지에 알을 낳아요!

과
**두견과**
키/몸무게
**30cm / 120g**
울음소리
**뻐꾹뻐꾹 울어요**

대식가인 뻐꾸기 새끼는 한 달 만에 몸이 30배나 자라요. 입양 부모인 개개비는 뻐꾸기 새끼보다 훨씬 작지만 앞으로 2주 동안 새끼에게 먹이를 줄 거예요.

### 둥지 침입자

부모 새가 없는 틈을 타서 뻐꾸기 암컷은 알 하나를 먹은 다음 자신의 알로 바꿔치기해요. 뻐꾸기의 아주 작은 알은 다른 알들과 색도 똑같아요. 하지만 11일째 되는 날 다른 알보다 일찍 부화해요.

### 타고난 살인마

뻐꾸기 새끼는 태어났을 때 2그램밖에 되지 않아요. 그런데 등에 숟가락 모양의 홈이 있어서 그곳으로 다른 알을 들어 올려 둥지 밖에 떨어뜨려요. 그리고 나서 입양 부모에게 사랑을 듬뿍 받아요.

*Spinus Spinus*
스피누스 스피누스

# 검은머리방울새

어디를 가든 이 작은 장난꾸러기 새는 눈에 잘 띄어요. 사교성이 좋아 항상 떼지어 다녀서 꽤 시끄럽지요. 겨울이 되면 이 쾌활한 친구들은 강가—때로는 우리의 정원—에 내려앉아 시끄럽게 지저귀지요. 씨앗을 약탈한 다음 다른 천국을 향해 도약하듯 날아가요. 오리나무에 자주 모여서 열매를 쪼아 먹어요. 그 모습이 분주하게 움직이는 곡예사 같지요. 따뜻한 계절이 되면 검은머리방울새를 볼 수 없어요. 시원한 소나무 숲에서 여름을 보내거든요.

과
되새과

키 / 몸무게
12cm / 12g

울음소리
쮸잉쮸잉 울어요

검은머리방울새도 박새처럼 오리나무 줄기에 거꾸로 매달려서 구과라고 불리는 딱딱한 열매를 부리로 쪼아 먹어요.

### 내가 먼저야!
수컷은 턱 아래에 턱받이 같은 검은 털이 있어요. 키가 무리에서 서열을 정하는 기준이에요. 키가 클수록 서열이 높아요. 서열이 높으면 먹이를 먼저 먹을 수 있어요.

### 치진-피지크
검은머리방울새가 여름이 되면 마법의 돌을 둥지에 숨긴다는 독일 전설이 있어요. 마법의 돌을 쥐면 투명 인간이 된대요. 그래서 러시아에는 〈치진-피지크, 어디 있니?〉라는 동요가 있지요. 상트페테르부르크의 다리 밑에는 검은머리방울새에게 봉헌하는 조각이 있어요.

북유럽이 원산지인 이 작은
개구쟁이 새는 황록색과
샛노란 색의 예쁜 깃털과
군데군데 검은 깃털이 있어요.
암컷의 깃털은 더 어두운
담황색이고 배는 흰색이에요.

수컷은 머리에 검은
모자를, 턱 밑에는
다양한 모양의 검은
턱받이를 하고 있어요.

부리는 옆으로 납작해요.
그래야 솔방울의 비늘 사이로
부리를 집어넣어 씨앗을
빼낼 수 있으니까요.

프랑스 남부 코르시카 섬에 사는
유럽방울새(*Serinus serinus*)와
헷갈리면 안 돼요.
검은머리방울새(*Spinus Spinus*)와
똑같이 생겼거든요.

51

# 들판의 새

"내 심장이 뛰네
마치 제비 떼처럼."
_류 요츠야

*Sturnus vulgaris*
스투르누스 불가리스

# 흰점찌르레기

흰점찌르레기를 뭣 모르는 애송이로 보지 말아요.
반점이 있고 작은 지빠귀처럼 생긴 이 새는 분별력이
좋고 강인한 성품을 가졌거든요. 골칫거리를
피하려고 수백 마리, 때로는 수천 마리씩 떼지어
살아요. 전투 비행 중대처럼 날면서 과수원과
포도밭을 망쳐놓아요. 밭에 내려앉아 밭고랑이 닳을
정도로 종종거리며 걸어 다니기도 하고요. 배가 꽉
차면 전깃줄 위에 나란히 앉아 쉬거나 온갖 나뭇가지에
빈틈없이 앉아 있어요. 새들을 쫓아보아요. 아마
휘파람 소리를 내거나 심지어 경적이 울리듯
시끄러운 소리를 내며 울 거예요.

과
**찌르레기과**

키 / 몸무게
**20cm / 75g**

울음소리
**찌르룻 울어요**

저녁이 되면 흰점찌르레기 떼가
나는 모습이 하늘에서 장관을
이루어요. 새들은 한 치의 오차도
없이 빠르게 움직여요. 어떻게
그렇게 움직일 수 있는지
과학자들도 아직 밝혀내지 못했어요.

### 귀찮은 이웃

흰점찌르레기는 워낙 큰 무리를 지어
다녀서 존재감이 확실히 드러나요. 자동차
경적, 초인종 소리, 휘파람 소리, 휴대전화
벨 소리까지 낼 수 있어요. 이웃들을
짜증 나게 하기 쉽겠지요?

### 불법 거주자

흰점찌르레기는 빈 구멍에 살아요. 하지만
구멍을 직접 파지는 않지요. 딱따구리의
둥지를 훔치거나 박새와 동고비의 집에
불법 거주해요. 최악의 경우는 가로등에
둥지를 짓는 거예요.

*Alauda arvensis*
알라우다 아르벤시스

# 종다리

언뜻 보면 볼품없지만 종다리는 아주 착한 새예요. 평생 땅 위를 걸어 다니며 밭에 사는 얌전한 주민이지요. 걸을 때는 등을 둥그렇게 말아서 걸어요. 아주 작은 소리에도 몸을 웅크리지요. 둥지는 구멍에 지어요. 종다리 이야기가 여기서 끝나는 줄 알았지요? 해마다 2월이 되면 수컷과 암컷이 다시 만나요. 이때부터 시골에서는 환상적인 노래 축제와 나선 모양의 비상이 시작돼요. 사람들은 아주 오래전부터 이 광경에 취했지요. 종다리처럼 사람들의 마음을 사로잡는 새는 없어요. 하지만 지금은 인간의 농업 활동 때문에 그 수가 줄고 있어요. 조심해야 해요.

과
**종다리과**

키 / 몸무게
**18㎝ / 40g**

울음소리
**종달종달 울어요**

여름이 되면 수컷이 노래를 부르면서 암컷이 알을 품은 둥지 위를 나선 모양으로 날아올랐다 내려오기를 반복해요. 시골에서 흔히 볼 수 있는 이 광경은 무척 아름다워요.

### 갈리아인의 새

프랑스인의 선조인 갈리아인은 종다리를 너무 좋아해서 자신들의 상징으로 삼았어요. 전쟁에 나갈 때 종다리 깃털을 모자에 꽂았지요(아스테릭스가 떠오르지요?). 그렇다면 오늘날 프랑스를 상징하는 새는 왜 수탉일까요? 이 상징은 훨씬 이후인 프랑스혁명 때 채택되었어요.

### 600개 음으로 이루어진 노래

감동적인 종다리의 노래는 온갖 감정을 표현한다는 특징을 가지고 있어요. 수컷은 암컷과 소통하고 암컷을 보호하기 위해 노래를 불러요.

*Upupa epops*
우푸파 에폽스

# 후투티

날아가는 후투티를 보면 마치 커다란 나비가 날아가는 것처럼 보여요. 그러다가 나뭇가지에 내려앉은 후투티를 알아보지요. 열대지방의 새처럼 화려하게 생긴 후투티는 유럽의 소박한 시골 풍경과 대비를 이루어요. 아프리카가 원산지인 이 새는 4월에서 8월까지 유럽에서 지내며 딱 한 번 알을 낳아요. 후투티는 말이 풀을 뜯는 방목장에 자주 놀러 가요. 말을 좋아하는 걸 보니 아프리카 사바나의 동물들을 그리워하는 게 아닐까요? 풀 속에 있는 곤충과 통통한 벌레를 잡아먹고 나무줄기, 낡은 양우리에 둥지를 만들어요. 후투티는 환경적으로 건강한 땅의 지표이지만 아쉽게도 시골에서 점점 보기 힘들어지고 있어요.

과
**후투티과**
키 / 몸무게
**28cm / 70g**
울음소리
**후후투 울어요**

나비처럼 날개를 파닥이지만 속도가 느리고 불규칙해요. 제자리에서 날 수 있어서 새끼에게 먹이를 주거나 나무에서 먹이를 잡기 편해요.

### 훗훗

수컷은 4월과 5월에 몇 초 간격으로 "훗훗!" 하는 소리를 내며 울어요. 오래 울수록 암컷에게 자신의 힘을 증명할 수 있지요.

### 악취는 나의 무기

암컷은 새끼의 똥을 치우지 않아요. 그뿐만 아니라 꼬리털 부분에 역겨운 냄새를 풍기는 물질을 만들어내는 분비샘이 있어서 그 물질을 알과 새끼에 바르지요. 그러다 보니 둥지에서 나는 악취가 너무 심해서 포식동물이 가까이 다가오지 못해요.

*Hirundo rustica*
히룬도 루스티카

# 제비

아, 드디어 제비 차례가 되었군요. 제비가 돌아오면 봄이 왔다는 뜻이지요. 프랑스 남부에서는 3월 중순, 북부에서는 4월 초에 제비가 능숙하게 하늘을 이리저리 날아다니는 걸 볼 수 있어요. 낫 모양으로 펼쳐지는 날개와 그물 모양의 꼬리로 쉽게 알아볼 수 있지요. 제비는 전투기처럼 들판과 갈대밭을 날며 입을 크게 벌려서 모기와 파리를 잔뜩 잡아먹어요. 인간에게 정말 유용한 새죠? 제비는 우리의 창고 지붕 밑에 둥지를 지어요. 인간은 제비 둥지를 환영해요. 우리가 없다면 제비는 살 수 없을 거예요. 9월이 되면 제비는 벌써 떠날 준비를 해요. 아프리카 사하라사막 너머로 갈 거예요. 앗, 벌써 가고 없네요.

**과**
제비과

**키/몸무게**
18cm / 20g

**울음소리**
지지배배 울어요

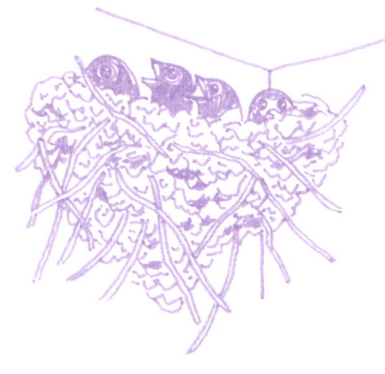

제비는 침으로 둥지를 지붕에 붙여요. 부드러운 털(그리고 고양이 등에서 뽑은 털!)을 깐 둥지에서 2~3번 알을 낳아요. 한 번에 4~5마리의 새끼가 태어나요.

### 전속력으로

제비는 내려앉는 법이 없어요. 날개가 길어서 땅에 앉으면 불편하거든요. 그래서 둥지를 지을 진흙이 필요할 때만 내려앉지요. 먹을 때도, 때로는 물을 마실 때도 날아요. 부리로 호수의 물을 떠먹지요. 호수에 몸을 담가 간단한 샤워를 해요.

### 간격 맞춰!

아프리카로 떠나기 전에 제비는 떼를 지어 전깃줄 위에 앉아요. 한번 관찰해봐요. 제비들의 간격은 정확히 15센티미터라는 걸 볼 수 있을 거예요. 섞여서 지내는 건 질색인가 봐요.

*Falco tinnunculus*
팔코 틴눈쿨루스

# 황조롱이

자동차로 시골길을 달리다 보면 산비탈 위에 마치 공중에 매달려 흥분한 듯 움직이는 희한한 새를 볼 수 있어요. 바로 황조롱이랍니다. 이 작은 매는 프랑스에서 가장 흔히 볼 수 있는 주행성 맹금류예요. 황조롱이(*Falco tinnunculus*)는 사촌인 새호리기(*Falco subbuteo*)나 매(*Falco peregrinus*)처럼 하늘에서 불쌍한 작은 새들을 쫓아 사냥하지 않아요. 이 새는 들쥐를 사냥하거든요. 들쥐를 아주 좋아하지요. 한자리에서 몇 시간이나 날며 들쥐를 찾아요. 그 덕분에 우리는 황조롱이의 예쁜 점박이 깃털과 작고 굽은 부리, 날카로운 발톱을 볼 수 있어요.

과
**매과**

키/몸무게
**35cm / 220g**

울음소리
**킷킷킷 울어요**

흰 날개는 워낙 빨리 파닥여서 움직임이 보이지 않을 정도예요. 꼬리는 부채처럼 펼쳐지고 눈은 땅을 샅샅이 훑고 있어요. 황조롱이가 들쥐를 찾는 중이에요. 이것이 황조롱이가 잘하는 매복 자세예요.

### 나를 좋아해줘요

원래 잘 울지 않는 황조롱이는 짝짓기 계절이 찾아오면 시끄러워져요. 하늘에서 암컷을 따라다니며 계속해서 울어대요. 황조롱이의 울음소리는 악기인 라쳇 소리와 비슷해요.

### 나는 까다롭지 않아요

매과 새가 모두 그렇듯이 황조롱이도 둥지를 짓지 않고 알을 돌 위에 낳아요. 구멍만 있으면 되지요. 마땅한 자리를 찾지 못하면 까마귀가 전봇대 위에 지어놓은 둥지로도 만족해요.

*Pyrrhula pyrrhula*
피르훌라 피르훌라

# 멋쟁이

산과 들이 어우러진 곳에서 구슬픈 울음소리가 우리의 주의를 끌어요. 빨리 고개를 돌려 나뭇잎 사이를 봐요. 오, 멋쟁이예요! 공처럼 동그랗고 새끼 양처럼 부드러운 이 사랑스러운 작은 새는 분주히 움직여요. 멋쟁이를 손에 잡아보고 싶어도 참아요. 잡으면 멋쟁이가 죽을지도 모르니까요. 멋쟁이는 감정이 매우 풍부하지만 조용하고 움직임도 느려요. 옛날에는 쟁기를 들고 밭으로 나가는 농부들을 따라다녔지요. 요즘은 멋쟁이를 잘 볼 수 없어요. 왜 그런지는 말하지 않아도 알겠지요?

과
**되새과**

키/몸무게
**16cm / 30g**

울음소리
**피리 소리를 내며 울어요**

멋쟁이를 행복을 가져다주는 새로 여기는 나라가 많아요. 그런 나라에서는 새해에 보내는 카드에 멋쟁이가 등장하지요. 자연에서도 그렇듯 암컷과 함께 입에 잔가지를 물고 나는 수컷이 그려져 있어요.

### 사랑과 평화

평화를 사랑하는 멋쟁이는 다른 새들과 싸우는 법이 없어요. 평생 함께하는 배우자와 사랑놀이를 하느라 싸울 시간이 없거든요. 키스, 나뭇가지 선물, 구애가 끊이지 않아요.

### 채식주의자

부끄러움이 많은 멋쟁이는 주로 울타리나 덤불 사이로 오가요. 그곳에 둥지를 짓고 겨울에는 장과를, 봄에는 새순을, 여름에는 나무 씨앗을 먹어요.

*Asio otus*
아시오 오투스

# 칡부엉이

칡부엉이가 안개 낀 숲속에 웅크리고 앉아 부엉부엉 운다고 생각한다면 그건 착각이에요. 칡부엉이는 사교성이 좋고 자기 영역을 지키려는 생각이 전혀 없는 새예요. 숲에 있으면 우울해진대요. 겨울이 되면 친구들과 함께 사람들의 집 앞마당에서 야영을 즐겨요. 소나무 가지 위에서 여럿이 몸을 꼭 붙이고 있지요. 칡부엉이는 캠핑을 좋아해요. 봄이 오면 울음을 울어 암컷을 부르고 까마귀의 빈 둥지에서 암컷과 함께 살아요. 따뜻한 여름밤에는 둥지를 떠나 오솔길을 따라 줄지어 앉아 있어요. 말하자면 우리 가까이서 1년 내내 보헤미안의 삶을 살아요. 하지만 눈에 잘 띄지 않지요.

과
**올빼미과**
키 / 몸무게
**40cm / 350g**
울음소리
**부엉부엉 울어요**

올빼미과에는 유라시아소쩍새(*Otus scops*), 칡부엉이(*Asio otus*), 수리부엉이(*Bubo bubo*)라는 3종류의 새가 있어요 크기는 정확히 2배씩 차이가 나요. 그중 칡부엉이가 가장 잘 알려져 있어요. 다행히 칡부엉이는 멸종 위기에 처해 있지 않대요.

### 닌자
칡부엉이는 몸의 형태를 바꿀 수 있어요. 우리가 다가가면 키를 키우고 눈을 감은 채 얼굴을 수축시켜요. 깃털도 나무껍질 색이어서 눈에 잘 띄지 않아요.

### 엘리트 스나이퍼
밤이 되면 칡부엉이는 우리의 풀밭과 채소밭에 조용히 들어와 사냥 모드가 되어요. 시각이나 후각을 사용해서 사냥감을 찾아내고 천천히 다가간 다음…… 퐥! 사냥감의 뒷머리를 부리로 세게 쪼아요. 사냥감은 두개골이 부서져서 즉사해요.

도가머리라고 불리는 '귀'는 사실 눈썹이에요. 깃털이 수직으로 선 것이죠. 불안하면 깃털을 세우고 편안하면 납작하게 접어요.

호박색의 큰 두 눈을 반쯤 감아서 눈에 잘 안 띄게 해요.

적갈색의 얼굴을 마음대로 변형시킬 수 있어요.

깃털에 난 검은 반점들은 울퉁불퉁한 나무껍질과 닮았어요. 암컷이 수컷보다 색이 더 짙지만 구분이 쉽지 않아요.

*Accipiter nisus*
아키피테르 니수스

# 새매

청회색의 옷을 입고 날씬한 몸매를 자랑하는
이 우아한 맹금류는 날개가 닿는 곳마다 공포를
불러일으키는 재주가 있어요. 먹이를 번개같이
공격하기를 즐겨서 작은 새들에게 두려움의
대상이거든요. 산울타리 사이를 저공 비행하거나
지붕 한구석에 매복해서 사냥감을 기다리다가
급습해요. 먹잇감을 놓쳐도 몇 킬로미터씩 날아서
쫓아가요. 덤불에서는 땅에 내려와 쫓고 사람이
사는 집 문간까지 쫓아올 때도 있어요. 그렇게
먹잇감의 기운을 빼놓는 거지요.

과
**수리과**

키 / 몸무게
**35㎝ / 225g**

울음소리
**날카로운 소리를
내며 울어요**

왼쪽은 암컷이고 오른쪽은
수컷이에요. 수컷이 암컷보다
몸집이 3분의 1 정도 작아요.
암컷은 눈 위에 흰 눈썹이
있어요. 수컷의 배에는
적갈색 줄무늬가 있고요.

### 정찰기

새매는 매일 아침 자신의 사냥터
(6~10제곱킬로미터)를 한번 둘러봐요.
미리 정한 경로를 따라서요. 그 경로에는
곳곳에 정찰 초소가 있어요. 새매는 꼭
군인 같아요.

### 공포영화

새매의 부리는 너무 작아서 먹잇감을
죽일 수 없어요. 잡은 먹잇감이 발버둥
치지 않도록 발로 먹잇감을 반죽 주무르듯
눌러서 찢어요. 깃털을 다 뽑을 수도 있고
산 채로 먹어 치울 수도 있어요. 정말
무섭지요?

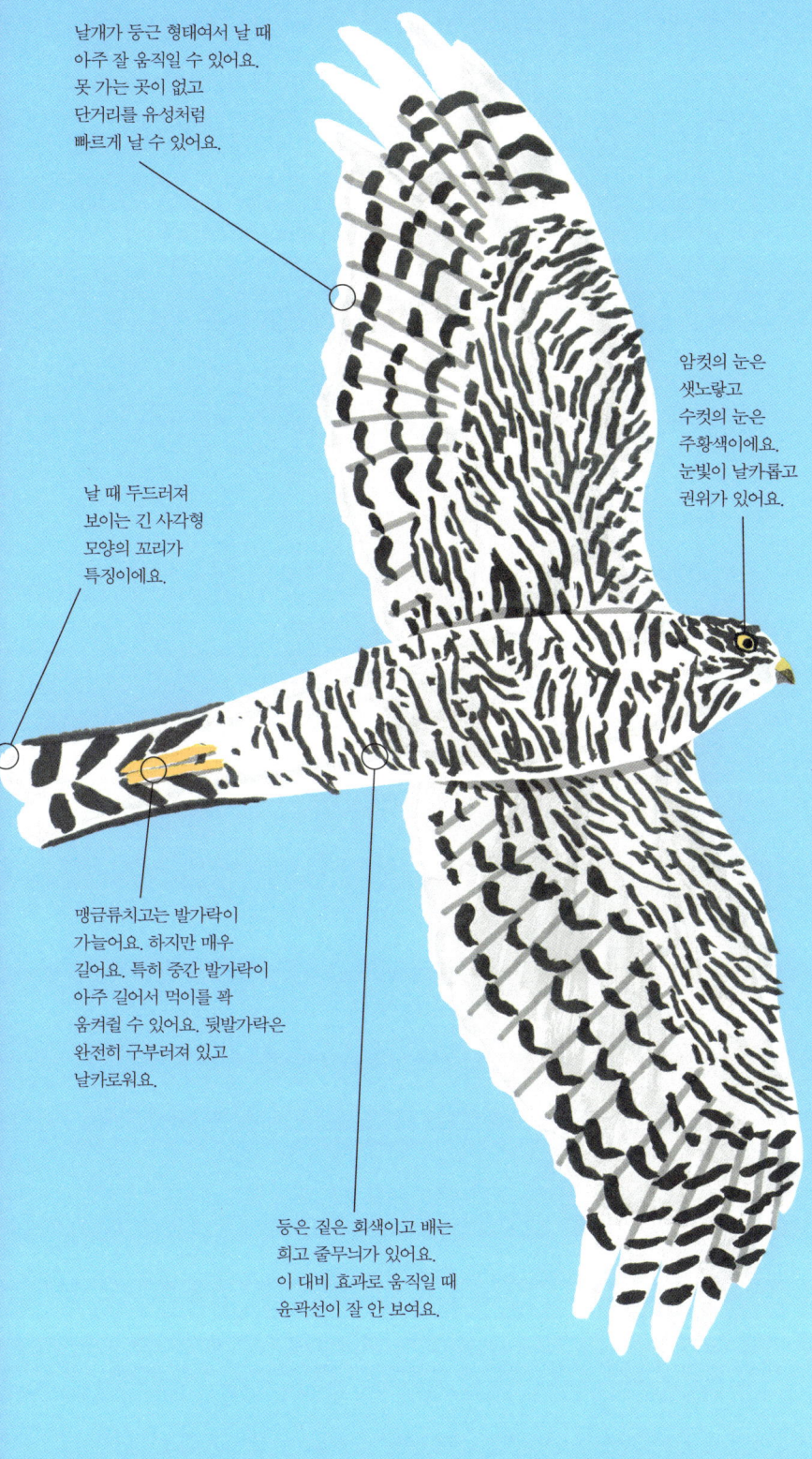

*Turdus philomelos*
투르두스 필로멜로스

# 노래지빠귀

숲 가장자리 가까이 가면 맑은 노랫소리가 멀리서 들려와요. 나무에 새싹이 트는 봄이 오면 이 새는 모습을 드러내지 않고 새벽부터 저녁 늦게까지 노래를 불러요. 하지만 움직이지 않고 조용히 있으면 이 작은 먹보 새가 땅으로 내려앉는 걸 볼 수 있을지도 몰라요. 통통한 갈색 노래지빠귀는 발톱으로 땅을 파요. 그러면서도 경계를 늦추지 않지요. 고개를 한쪽으로 기울이고 깡충깡충 앞으로 뛰면서 장과나 곤충을 콕콕 집어 먹어요. 바람이 조금만 불어도 노래지빠귀는 날아가버려요. 수백 년 동안 인간에게 사냥당했기 때문이지요. 노래지빠귀는 그렇게 겁이 많아요.

**과**
지빠귀과

**키/몸무게**
22㎝ / 78g

**울음소리**
재잘거리듯 울어요

산책하러 나갔다가 돌 주위에 달팽이 껍데기들이 널브러져 있으면 노래지빠귀가 사용한 돌이라는 걸 알아두어요. 노래지빠귀는 돌을 작업대로 사용해서 달팽이의 껍데기를 깨뜨려요.

### 절대음감

사냥꾼들은 피리로 수컷의 노래와 비슷한 소리를 내서 암컷을 불러들여요. 하지만 음이 한 번이라도 틀리면 덫은 소용없어져요. 이웃 새들의 노래를 모두 흉내 낼 수 있는 노래지빠귀는 절대음감이거든요.

### 능숙한 노래지빠귀

노래지빠귀는 긴 부리로 체리 살을 발라 먹을 줄 알아요. 나무에 씨앗만 남겨두지요. 또 긴 부리를 이용해 장과의 독이 있는 부분을 골라내거나 달팽이를 껍데기에서 뽑아내요.

# 물가의 새

"여름비 아래 왜가리가
다리를 접는구나."
_마쓰오 바쇼

*Ardea cinerea*
아르데아 키네레아

# 왜가리

호숫가에 자주 나타나 동상처럼 꼼짝하지 않고
서 있는 왜가리는 우아한 신사의 영혼을 가지고 있어요.
겉모습은 평온해 보이지만 사실 왜가리는 아주
민첩하고 활발하며 계절이 바뀌면 먼 여행을 떠나요.
금붕어가 노니는 연못이 있는 앞마당에 자주 등장해서
금붕어들을 한입에 먹으려고 하지요. 동물원에서는
홍학들 사이에서 나른해 보이는 왜가리를 볼 수 있어요.
사실은 옆에 있는 바다사자의 먹이를 노리고 있는
거예요. 시골에서는 밀밭의 들쥐를 탐색하지요.
왜가리를 잡고 싶나요? 콧대 높은 왜가리는 바로
코앞에서 도망칠걸요. 거만한 걸음걸이로요.

과
**백로과**

키/몸무게
**95cm / 1.5kg**

울음소리
**왝왝왝 울어요**

왜가리는 날 때 다른 새들처럼 다리를 접고 목을 길게 늘어뜨리는 게 아니라 정반대로 해요. 하늘에서 날아가는 모습은 다른 새와 혼동할 수 없어요.

### 편안한 곡예사

나무 사이에서 곡예를 하는 왜가리는 상상할 수 없을 거예요. 하지만 그건 착각이에요. 왜가리는 나무에 둥지를 짓거든요. 사촌인 백조처럼 말이에요. 균형을 잡기 위해 날개를 펼치고 긴 발가락으로 아주 가는 나뭇가지에 아주 편안하게 매달려 있지요.

### 다 내 거야!

왜가리는 무리 지어 살지만 먹이를 먹을 때는 혼자가 되어요. 각자 좋아하는 낚시 구역으로 가지요. 동료가 침입하면 반드시 싸움이 터져요.

*Motacilla cinerea*
모타킬라 키네레아

# 노랑할미새

노랑할미새는 너무 우아해서 '강가의 발레리나'라는 별명이 있어요. 몸짓 하나하나가 마치 춤 같아요. 급류, 개울, 폭포 등 차가운 물이 굽이치는 곳에는 노랑할미새가 있어요. 도시, 산, 숲, 시골에서도 물에 발을 담그거나 가벼운 발걸음으로 물가를 거니는 노랑할미새를 볼 수 있지요. 조용하면서도 친숙한 이 새는 다리 아래나 낡은 물레방아 주변에 둥지를 틀어요. 둥지 주위를 날아다니거나 수면에서 스케이트를 타는 작은 곤충들을 잡아먹어요. 노랑할미새를 본 적이 없어도 소리는 들어봤을 거예요. 아주 맑은 울음소리가 콸콸 흐르는 강물 소리를 덮어요.

**과**
할미새과

**키 / 몸무게**
20cm / 18g

**울음소리**
날카롭게 찌찌찌
울어요

사촌인 알락할미새(*Motacilla alba*)는 마을의 빨래터에 자주 나타나요. 그래서 '빨래하는 여자'라는 별명이 있지요. 이 할미새는 분포 지역이 아주 넓고 노랑할미새(*Motacilla cinerea*)보다 더 쉽게 관찰할 수 있어요.

### 발레리나
노랑할미새도 다른 대부분 새처럼 깡충깡충 뛰면서 이동해요. 하지만 한 발 한 발 아주 멋지게 다리를 땅에 내려놓아요. 꼭 발레를 하는 것 같지요.

### 꼬리 흔들기
노랑할미새는 먹이를 먹을 때 꼬리를 위아래로 흔들어요. 꼬리는 아주 길고 몸의 균형을 잡는 역할을 해요.

노랑할미새의 학명 중
'키네레아(*cinerea*)'는 잿빛 등
때문에 생겼어요. 등이 황록색인
서양긴발톱할미새(*Motacilla flava*)와
구분할 수 있는 특징이지요.

흰 콧수염이 있고
눈 위에는 붓으로
그린 듯한 흰 선이
나 있어요.

짝짓기 계절이 되면
수컷은 노란 궁둥이를
보여주면서 경쟁자를
물리쳐요.

배는
레몬색이에요.

긴 다리와 휘어진 발톱이 있어서
흐르는 물에서도 미끄러지지
않고 걸어 다녀요.

*Alcedo atthis*
알케도 아트히스

# 물총새

날카로운 휘파람 소리와 수면을 스칠 듯 날아가는 파란 화살. 이것이 눈 깜짝할 새 사라지는 물총새의 이미지예요. 그리스 사람들은 물총새가 행복을 가져다준다고 믿었는데 정말일까요? 물고기들에게는 행복을 가져다주지 않는 게 확실해요. 물고기를 잡을 때 백발백중이거든요. 물총새는 사선으로 날아서 짧고 힘찬 잠수를 한 뒤 먹이를 입에 물고 대포알처럼 금세 튀어 올라요. 그러고 나서는 나뭇가지에 앉아 물고기를 먹어 치워요. 식사가 끝나면 곧바로 다시 사냥에 나서요. 이 작은 몸집의 먹보는 하루에 60~70마리의 물고기를 잡을 수 있어요.

**과**
물총새과

**키/몸무게**
16㎝ / 35g

**울음소리**
찌잇찌잇 울어요

물총새는 물고기를 먹을 때 항상 비늘 방향으로 먹어요. 반대로 잡았을 때는 물고기를 공중에 던져서 전 뒤집듯이 뒤집어 먹어요.

### 로켓 같은 추진력

물총새는 날개를 전속력으로 휘저으며 공기를 깃털 밑에 가두어요. 최대 1미터까지 깊이 잠수한 다음 가둔 공기를 이용해 샴페인 마개처럼 다시 수면 위로 튀어 올라요.

### 굴착기

물총새는 강둑에서 땅을 부리로 파 둥지를 만들어요. 2주 동안 다리로 흙을 파헤쳐요. 최대 1.2미터까지 팔 수 있어요.

*Chroicocephalus ridibundus*
크로이코케팔루스 리디분두스

# 붉은부리갈매기

붉은부리갈매기는 해마다 봄이 오면 큰 무리를 지어
좋아하는 강 하구로 돌아와 둥지를 지어요. 나머지
계절에는 정처 없이 떠돌아다니지요. 비웃음처럼
들리는 노래를 시끄럽게 부르고 싸움도 잘해요.
이 갈매기는 어디서나 볼 수 있어요. 여름에는
바닷가에서 거품을 만들고, 가을에는 밭에서
트랙터를 쫓아다녀요. 겨울에는 도시공원에서
지내고요. 무엇이든 잘 먹고 먹는 방법도 다양해요.
하늘에서 활공하고 모래나 흙을 파고 헤엄치고
잠수하고 어선을 따라다니지요. 시장에서 먹이도
잘 주워 먹고 다른 새들의 먹이를 훔치기도 해요.
동료 갈매기가 잡은 먹이를 놓고 싸우기 일쑤지요.
그 무엇도 해적 같은 붉은부리갈매기를 막을 수 없어요.

과
**갈매기과**

키 / 몸무게
**40cm / 285g**

울음소리
**과아오과아오
울어요**

붉은부리갈매기(*Chroicocephalus ridibundus*)는 유럽재갈매기(*Larus argentatus*)와 많이 헷갈려요. 하지만 유럽재갈매기가 몸집이 더 크고 부리는 노란색이에요 (붉은 반점이 있지요). 그리고 노래를 부를 때 웃음소리가 아니라 울음소리를 내요.

### 검은 깃발

봄이 오면 붉은부리갈매기는 흰 머리에 초콜릿 색 모자를 써요. 멀리서 보면 검게 보이지요. 이 시각적 신호로 다른 새들에게 짝짓기 계절이 돌아왔음을 알려요. 이때는 평소보다 더 공격적이에요.

### 저녁 의식

붉은부리갈매기들은 매일 저녁 크게 소리를 지르며 모여들어요. 그런 다음 바다나 늪에 몸을 담가요. 자러 가기 전에 몸을 씻는 거예요.

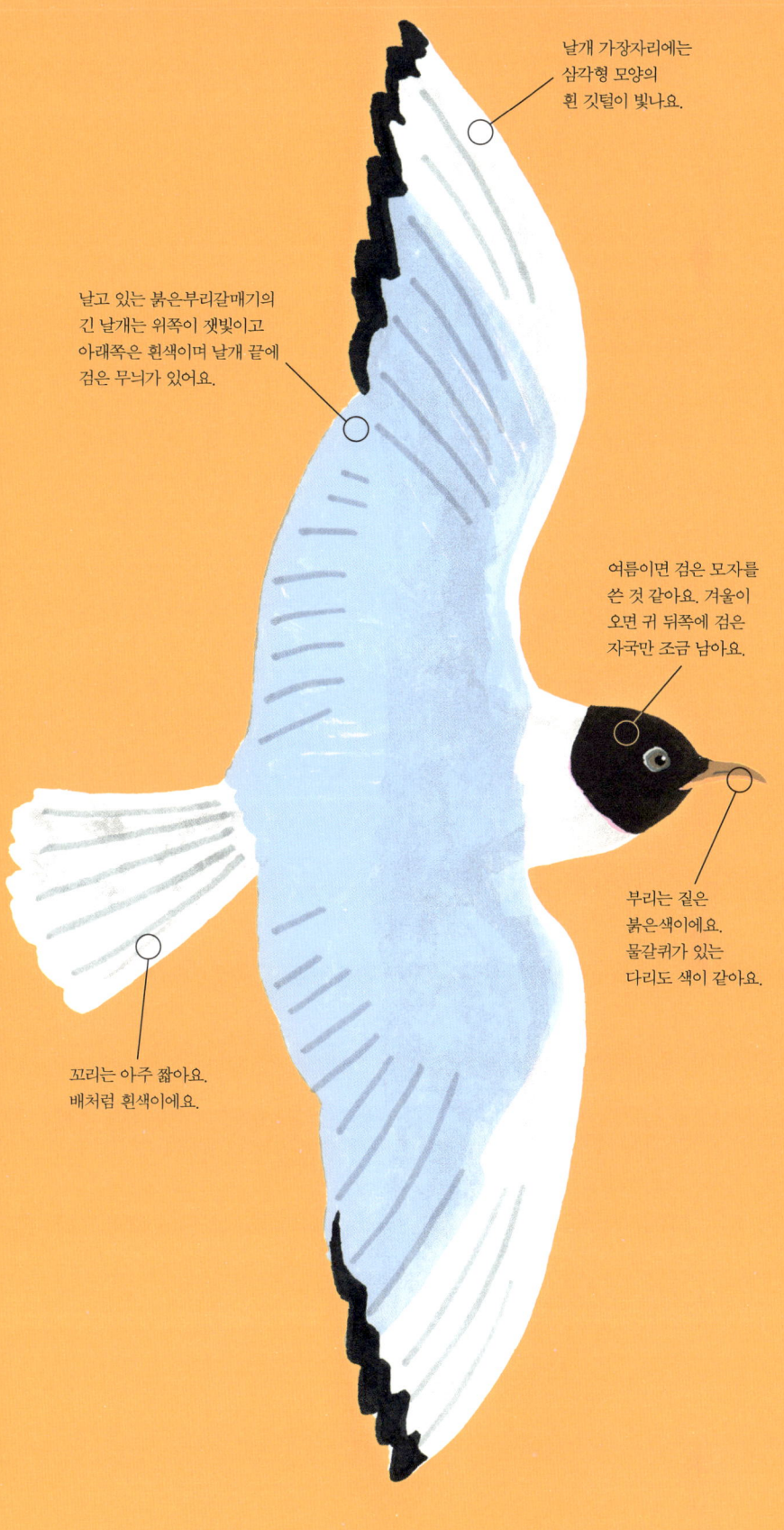

*Anas platyrhynchos*
아나스 플라티르힝코스

# 청둥오리

가장 흔한 오리과 새로 물속을 뒤져 먹이를 찾는
청둥오리는 물이 조금이라도 있는 곳이라면 어디서든
볼 수 있어요. 얕은 물을 더 좋아하긴 하지만요.
작은 못만 있어도 청둥오리는 행복해요. 꽥꽥거리며
—청둥오리는 대단한 수다쟁이거든요—못에서
종일 큰 원을 그리고 돌며 헤엄치고 낮잠을 즐겨요.
한가로운 노인처럼 살아가는 걸 보면 아직 날 수
있는지 의문이 생길 거예요. 정 의심스러우면
청둥오리를 귀찮게 해봐요. 그러면 도약도 필요 없이
로켓처럼 하늘로 날아오르는 모습을 볼 수 있을 거예요.
청둥오리가 낮에 게으른 건 밤에 모험가로 변신해서
잔디밭과 수풀을 걸어 다니기 때문이에요.

과
**오리과**

키 / 몸무게
**65cm / 1125g**

울음소리
**꽥꽥 울어요**

부드러운 털로 덮인 청둥오리
새끼는 태어나자마자 헤엄칠 줄
알아요. 어미는 물속에서 먹이를
잡는 법을 가르쳐줘요. 몸을
거꾸로 뒤집어서 부리로
못 바닥을 뒤지는 것이지요.

## 어두운색이면 암컷인가요?

낙엽 같은 깃털을 가진 암컷은 외모가
수컷에 비할 바 못 돼요. 수컷은 짝짓기가
끝나면 곧바로 암컷을 버려요. 암컷의
깃털이 더 단조로운 건 덤불 밑 땅 위에
둥지를 지어서 눈에 띄면 안 되기 때문이에요.

## 용기 있는 어머니

어미는 먹이를 구하러 둥지를 비울 때
배에 난 깃털을 뽑아서 알을 덮어 보호해요.
포식동물이 알을 발견하면 다리를 절뚝이며
교란 작전을 펼쳐요. 포식동물에게 자기를
대신 잡아가라는 것이지요.

수컷은 햇빛 아래 반들거리는 초록색 머리로 구분할 수 있어요. 여름에 털갈이할 때를 제외하면 1년 내내 머리가 초록색이에요. 여름에는 암컷처럼 머리가 갈색으로 변해요.

크고 노란 부리는 물이나 진흙을 거르는 역할을 해요. 작은 수중 생물과 풀, 죽은 식물을 먹어요.

꽁지깃은 소용돌이 모양으로 말려 있어요.

예쁜 보라색 띠가 큰 날개깃에 있어요.

다리는 밝은 주황색이에요. 물갈퀴가 있는 발을 앞뒤로 움직여 이동해요. 물속에서는 불규칙적으로 움직이며 앞으로 나아가고 땅 위에서는 뒤뚱거려요.

*Himantopus himantopus*
히만토푸스 히만토푸스

# 장다리물떼새

습지, 석호, 논에서 볼 수 있는 장다리물떼새의
가늘고 긴 실루엣은 우리에게 친숙해요. 다리가 아주
길어서 성큼성큼 걸어 다녀요. 균형 잡고 서 있는
모습을 보면 작은 기적이 이루어진 걸 알 수 있지요.
이 새는 바늘처럼 긴 부리로 수면에 있는 곤충들을
우아하게 쪼아 먹어요. 때로는 작은 갑각류를 찾아
머리를 물속에 집어넣기도 하지요. 하지만
뒷부리장다리물떼새(*Recurvirostra avosetta*)와는 다르게
풀숲을 거닐 수도 있어요. 두 물떼새는 습지에서
무리를 지어 둥지를 틀지요. 가을이 오면 먼 곳으로
떠나요. 하지만 카마르그, 동브, 브르타뉴 등
점점 더 프랑스에 그대로 머무는 경우가 많아졌어요.

과
장다리물떼새과

키 / 몸무게
40cm / 180g

울음소리
삑삑 울어요

뒷부리장다리물떼새와는
혼동할 수 없어요. 이 새는 부리가
위로 굽었고 날개는 가운데가
흰색이에요. 또 부리에서
목덜미까지 검은 털로
덮여 있어요.

### 부산스러운 몸짓

장다리물떼새는 짝짓기 계절에 신경질적이고
시끄럽게 변해요. 다리를 옆으로 흔들고
공중으로 펄쩍펄쩍 뛰면서 둥지를 열심히
방어하지요. 이 우스꽝스러운 난동은
침입자를 놀라게 하기 위한 거예요.

### 교대 근무

암컷과 수컷이 돌아가면서 알을 품어요.
수컷 차례가 오면 풀을 뜯어서 암컷이 보는
앞에서 등에 뿌려요. "걱정하지 마. 내가
잘할게" 정도의 뜻이에요.

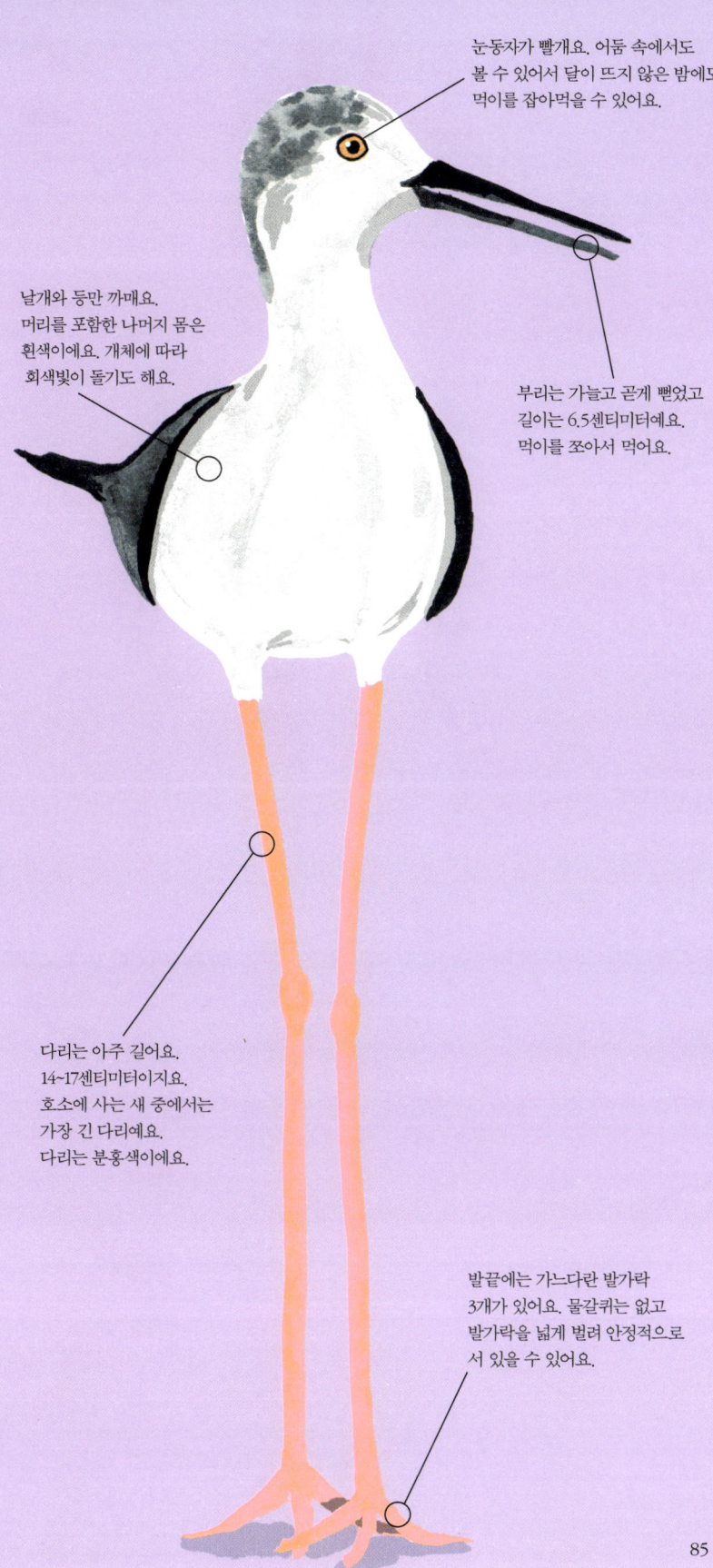

눈동자가 빨개요. 어둠 속에서도 볼 수 있어서 달이 뜨지 않은 밤에도 먹이를 잡아먹을 수 있어요.

부리는 가늘고 곧게 뻗었고 길이는 6.5센티미터예요. 먹이를 쪼아서 먹어요.

날개와 등만 까매요. 머리를 포함한 나머지 몸은 흰색이에요. 개체에 따라 회색빛이 돌기도 해요.

다리는 아주 길어요. 14~17센티미터이지요. 호소에 사는 새 중에서는 가장 긴 다리예요. 다리는 분홍색이에요.

발끝에는 가느다란 발가락 3개가 있어요. 물갈퀴는 없고 발가락을 넓게 벌려 안정적으로 서 있을 수 있어요.

*Haematopus ostralegus*
하이마토푸스 오스트랄레구스

# 검은머리물떼새

이 새와 함께라면 바닷가에서 맑은 공기를 마시며 산책할 수 있을 거예요. 밀물 때는 절벽 위에 앉아 있고 썰물 때는 무리를 지어 축축한 모래 위에 앉아 시끄럽게 수다를 떠는 검은머리물떼새는 무엇보다 바닷가의 새예요. 주로 북유럽에 서식하지만 겨울이 되면 따뜻한 지중해도 마다하지 않아요. 부리로 갯벌을 파거나 험난한 바위 위를 다니며 조개를 잡아먹는 검은머리물떼새는 게, 지렁이 등 갯벌에 사는 모든 것을 잘 먹어요. 영리하고 싸움도 잘해 홍합 하나를 두고도 싸움을 일으켜요. 하지만 밀물이 되면 미련 없이 떠나요. 갯벌을 떠나 쉬거나 사랑스러운 배우자와 함께 둥지를 만들어요.

과
**검은머리물떼새과**

키 / 몸무게
**42cm / 610g**

울음소리
**쿠잇쿠잇 울어요**

하늘을 나는 검은머리물떼새는 꼬리와 예쁜 톱니 모양의 흑백 날개로 알아보기 쉬워요. 안쪽 날개는 전체가 희고 끝부분만 까매요.

### 전문 도구

검은머리물떼새는 커다란 부리로 조개껍데기를 부수거나 조개가 잠깐 입을 벌렸을 때 잡아먹어요. 껍데기를 벌려서 껍데기에 연결된 근육을 잘라내요. 그때부터 해물 파티가 열리지요.

### 빠른 적응력

검은머리물떼새는 수년 전부터 해안의 땅을 정복했어요. 일부 새의 부리는 지렁이를 잡아먹을 수 있도록 가늘어지기 시작했어요.

*Calidris alba*
칼리드리스 알바

# 세가락도요

해안가에 부딪히는 파도 위를 작고 동그란 새가 오가요. 파도가 몰려오면 뒤로 물러서고 파도가 밀려가면 파도를 따라가지요. 놀이를 하는 걸까요? 아니에요. 새는 파도가 몰고 오는 작은 먹이를 먹는 거예요. 앗, 갑자기 새가 뛰기 시작해요. 얼마나 빨리 뛰는지 다리가 보이지 않을 정도예요. 세가락도요는 아주 민첩해요. 약간 과체중처럼 보이지만 생각보다 훨씬 재빠르지요. 통통한 체형은 꼭 필요해요. 여름이 되면 짝짓기를 하러 갈 북극의 추위를 견뎌야 하거든요. 나머지 계절에는 유럽으로 돌아와요. 더 밑으로 내려가기도 하고요. 이 멋진 철새는 때로 오스트레일리아까지 날아가기도 해요.

과
도요과

키/몸무게
20cm / 60g

울음소리
꼬꼬꼬꼬 울어요

민물도요와 헷갈리면 안 돼요. 민물도요는 배에 검은 반점이 있고 부리도 더 길고 약간 구부러져 있어요. 주로 늦에 나타나는 민물도요는 여름이 되면 산에 둥지를 짓기도 해요. 그래서 라틴어 학명이 칼리드리스 알피나(*Calidris alpina*)예요. 알피나는 알프스산맥을 뜻하지요.

### 겨울옷

민물도요처럼 세가락도요도 여름에는 깃털이 갈색과 적갈색이 되어 툰드라 지역에서 눈에 잘 띄지 않아요. 유럽으로 돌아오면 털갈이를 해서 적갈색이 맑은 회색으로 변해요. 자갈과 파도 속에서 눈에 잘 띄지 않지요.

### 미식가

부리가 너무 짧아 모래 속을 팔 수 없으니 바닷가에서 파도가 모래를 들어 올릴 때 먹이를 쪼아 먹어요. 조개, 지렁이, 게, 아주 좋아하는 물고기의 눈을 찾지요.

*Cygnus olor*
키그누스 올로르

# 흑고니

연못 위를 유유히 미끄러져 가는 흑고니의 새하얗고
기품 있는 모습을 보면 감탄할 수밖에 없어요.
흑고니에게 가까이 다가가고 싶고 길들일 수 있겠다고
생각했지만 조심해요. 흑고니는 사교적이지 않거든요.
만약 둥지에 가까이 다가가면 공격당할 수도 있어요.
연못이나 호수는 흑고니의 영역이에요. 매년 봄이 되면
찾아와서 그곳을 떠나지 않아요. 다른 새들은 주인인
흑고니가 허락할 때만 헤엄칠 수 있어요. 암컷은 수컷
옆에 붙어 있어요. 회색인 새끼들도 함께 있지요.
새끼들은 처음 맞이하는 겨울에 흰옷으로 갈아입어요.
그런 다음 다른 곳으로 날아가요. 떠나지 않으면 부모가
물어서라도 내쫓아요. 그래야 자신들의 영역에서
주인장 노릇을 계속할 수 있으니까요.

**과**
**오리과**

**키 / 몸무게**
**1.4m / 11.5kg**

**울음소리**
**숨을 몰아쉬듯**
**쉿쉿 울어요**

### 노래하지 않아요

흑고니에게는 '조용한 고니'라는 별명이
있어요. 기관이 좁아서 아주 작은 소리만
내거든요. 하지만 날 때는 날개로 음악 같은
소리를 내요. 멀리서도 잘 들리지요.

### 공격수

흑고니는 몸짓으로 소통해요. 날개를
벌리고 머리를 뒤로 젖힌 채 다가오면 좋은
신호가 아니에요. 부리로 물고 날개로
아프게 칠 수 있어요. 적을 물에 빠뜨리고
심지어 등에 올라타서 익사시킬 수도 있어요.

봄이 되면 수컷과 암컷은
아름다운 짝짓기로 우리를
황홀하게 해요. 하지만 수컷은
바람둥이예요. 암컷과의 '이혼'을
주저하지 않고 여러 암컷을
찾아다녀요. 일부다처제를
좋아하지요.

흑고니라는 이름은 부리 위의 두드러진
검은 혹인 납막 때문에 붙여졌어요. 수컷의
혹은 봄에 부풀어서 암컷과 구별되어요.

흑고니는 채식주의자예요.
넓은 부리로 물을 걸러내서
수생식물을 먹거나 풀밭에서
풀을 뜯어 먹어요.

우아하게 구부러진
목의 길이는 75~80
센티미터예요.
몸길이의 절반이나
되지요.

헤엄을 칠 때는 날개를
들어 올려서 돛단배처럼
바람의 힘을 받아요.

세계에서 무게가 가장 많이 나가는 새예요.
날아오를 때 물 위나 풀밭 위를 8~20미터 정도
뛰며 날개를 세차게 퍼덕이지요.

> 옮긴이의 글

지구에는 1만 종이 넘는 새가 살고 있대요. 그러다 보니 '다양함'이 새들의 특징이지요. 몸무게만 보아도 11그램밖에 나가지 않는 푸른박새가 있는가 하면 흑고니는 11.5킬로그램이나 나가니까요. 하지만 그 다양한 새들에게는 공통점이 있지요. 『새들의 방식』을 쓴 제니퍼 애커먼은 "새들의 방식은 비행이고 알이고 깃털이고 노래이다"라고 했어요. 『새의 이름』은 그런 다양함과 공통점을 동시에 살펴볼 수 있는 책이에요.

우리나라에 서식하는 새는 고작 500~600종 정도래요. 지리적 위치, 땅의 크기, 기후 등 여러 요인 때문에 유럽이나 아프리카에 비하면 다양성이 부족한 편이지요. 도시에서는 더 그런 것 같아요. 어렸을 적 전깃줄 위에 흔히 보이던 참새도 이제는 목격하기 힘들고 까치, 까마귀도 잠깐씩 눈에 띄지만, 먹이를 너무 많이 먹어 날 수 있을까 싶은 통통한 비둘기 정도가 매일 마주칠 수 있는 새예요. '구구구구……' 하는 울음소리보다는 근처를 지나가다 갑자기 날아오른 비둘기에 놀라 공포에 가까운 '꺄악!' 소리를 지르는 여학생의 비명이 그제야 비둘기에 관심을 두게 하지요.

우리는 그만큼 새에 무심해졌지만 새는 정말 놀라운 동물이에요. 지구에 사는 새는 모두 공룡이라는 걸 알고 있나요? 공룡 중 두 발로 보행하고 깃털을 갖게 된 수각류가 새로 진화했다고 해요. 앞발이 날개가 되었고 기공이 기낭이 되어 날 수 있게 되었고요. 유럽에서

> "포유류에게는 포유류의 방식이,
> 새에게는 새의 방식이 있다."
> 제니퍼 애커먼

가장 작은 새 파이어크레스트를 보면 상상하기 힘든 사실이지요? 하지만 큰 새를 직접 보면 생각이 달라질 거예요. 제가 일본에서 만난 까마귀가 그랬지요. 아무도 없는 골목에서 마주친 까마귀는 키가 1미터(?)는 되어 보였어요. 어찌나 무섭던지 그만 그 자리에 얼어붙었지요. 다행히 까마귀가 저에게 별 관심이 없어 살금살금 도망쳤지만 그런 큰 까마귀를 도시에서 볼 수 있다는 게 신기했지요. 『새의 이름』을 통해서 새들의 소통 방식에도 관심을 가져보아요. 암컷을 유혹하기 위해, 또는 가족을 보호하기 위해 새들은 노래하거나 울어요. 인간인 우리를 치유해주는 새도 있고요. 나이팅게일의 노래는 실제로 통증을 줄여주고 환자가 빨리 회복할 수 있게 해준대요. 나무가 우거진 곳에 가까이 사는 저도 무언가에 집중하고 있는 아침에 가끔 새소리가 들리면 이상하게 마음이 편안해지는 걸 느껴요.

여러분도 책을 덮고 한번 귀를 기울여봐요. 새의 노래가 들리지 않나요? 이제 그 새의 이름을 불러보세요. 그 순간, 익숙한 새가 새롭게, 낯선 새가 친근하게 마음속으로 다가올 거예요.

2025년 10월

권지현